A. A. Milne
Pu der Bär

Gesamtausgabe

Der Autor:
A. A. oder Alan Alexander Milne wurde 1882 in London geboren und starb 1956. Er war Journalist und Autor mehrerer Lustspiele, bevor er Mitte der zwanziger Jahre anfing Kinderbücher zu schreiben, die ihn weltberühmt machten. Inspiriert zu seinen Pu-der-Bär-Geschichten wurde er durch Christopher Robin, seinen Sohn. Weitere Titel von A. A. Milne bei dtv junior: siehe Seite 4

Der Illustrator:
E. H. oder Ernest H. Shepard lebte von 1897 bis 1976. Seine Zeichnungen sind auch heute noch aus keinem der Kinderbücher A. A. Milnes wegzudenken.

Der Übersetzer:
Harry Rowohlt wurde 1945 in Hamburg geboren und ist einer der größten Pu-Fans überhaupt. 1987 hat er die wunderbaren Geschichten um Pu-den-Bären neu übersetzt.

A. A. Milne

Pu der Bär

Gesamtausgabe

Aus dem Englischen
von Harry Rowohlt

Zeichnungen
von E. H. Shepard

Deutscher Taschenbuch Verlag

Die englischen Originalausgaben erschienen erstmals unter den Titeln
›Winnie-the-Pooh‹ 1926 und ›The House at Pooh Corner‹ 1928 bei
Methuen & Co. Ltd., London

Von A. A. Milne sind außerdem bei dtv junior lieferbar:
Pu der Bär, dtv junior 70395

Ungekürzte Ausgabe
In neuer Rechtschreibung
7. Auflage Februar 1999
1997 Deutscher Taschenbuch Verlag GmbH & Co. KG, München
© Text by A. A. Milne and line illustrations by E. H. Shepard
Copyright under the Berne Convention
© der deutschsprachigen Ausgabe: Atrium Verlag, Zürich,
1987 ›Pu der Bär‹, 1988 ›Pu baut ein Haus‹
ISBN 3-7915-1324-9
Umschlaggestaltung: Jorge Schmidt und Tabea Dietrich
Umschlagbild und Vorsatz: E. H. Shepard
Druck und Bindung: Kösel, Kempten
Printed in Germany · ISBN 3-423-70451-9

Inhalt

Pu der Bär

Pu baut ein Haus

Pu der Bär

Widmung

Hier kommen wir Hand in Hand,
   Christopher Robin und ich,
Um dir dies Buch auf den Schoß zu legen.
   Sagst du, du bist überrascht?
   Sagst du, es gefällt dir?
   Sagst du, genau das hast du dir gewünscht?
Es gehört dir nämlich – – –
Wir lieben dich nämlich.

Vorstellung

Wenn du zufällig schon ein anderes Buch über Christopher Robin gelesen hast, erinnerst du dich vielleicht daran, dass er mal einen Schwan hatte (oder der Schwan hatte Christopher Robin; ich weiß nicht mehr, wie das war) und dass er diesen Schwan Pu nannte. Das war vor langer Zeit und als wir uns verabschiedeten, haben wir den Namen mitgenommen, weil wir nicht glaubten, dass der Schwan ihn noch wollte. Ja, also, und als nun Eduard Bär sagte, er hätte gern einen aufregenden Namen ganz für sich allein, sagte Christopher Robin sofort ohne nachzudenken er, der Bär, sei Winnie-der-Pu. Und das war er auch. So, nachdem ich den Teil mit Pu erklärt habe, werde ich alles Übrige erklären.

Man kann nicht lange in einer großen Stadt sein ohne in den Zoo zu gehen. Manche Leute fangen mit dem Zoo am Anfang an, der EINGANG heißt, und gehen so schnell wie möglich an jedem Käfig vorbei, bis sie zu dem Käfig kommen, an dem AUSGANG steht, aber die nettesten Leute gehen geradewegs zu dem Tier, das sie am meisten lieben, und dort bleiben sie dann. Wenn Christopher Robin also in den Zoo geht, geht er zu den Eisbären und flüstert dem dritten Tierwärter von links etwas zu, und Türen werden aufgeschlossen, und wir wandern durch dunkle Gänge und steile Treppen hinauf, bis wir schließlich zu dem ganz besonderen Käfig kommen, und der Käfig wird geöffnet, und etwas Braunes und Pelziges trabt heraus, und mit einem frohen Schrei – »Ach, Bär!« – stürzt sich Christopher Robin in seine Arme. Und dieser Bär heißt Winnie, woran man merkt, was für ein guter Name für Bären das ist, aber das Merkwürdige ist, dass wir nicht mehr wissen, ob Winnie nach Pu benannt ist oder Pu nach Winnie. Wir wussten das mal, aber wir haben es vergessen ...

Bis hierher hatte ich geschrieben, als Ferkel zu mir hoch blickte und mit seiner quietschigen Stimme »Und was ist mit *mir?*« sagte. »Mein liebes Ferkel«, sagte ich, »das ganze Buch handelt von dir. »Also von Pu«, quiekte es. Du merkst schon, was das zu bedeuten hat. Ferkel ist eifersüchtig, weil es glaubt, dass Pu eine Große Vorstellung ganz für sich alleine hat. Pu ist das Lieblingstier, natürlich, das lässt sich nicht bestreiten, aber Ferkel ist für eine ganze Reihe von Sachen gut, bei denen Pu nicht mithalten kann; weil man Pu nicht mit in die Schule nehmen kann, ohne dass jeder davon erfährt, während Ferkel so klein ist, dass es in jede Tasche passt, wo es dann sehr beruhigend ist, wenn man es dabeihat und nicht ganz sicher ist, ob zwei mal sieben zwölf oder zweiundzwanzig ist. Manchmal schlüpft es heraus und riskiert einen gründlichen Blick ins Tintenfass, und auf diese Weise bekommt es mehr Bildung mit als Pu, aber Pu macht das nichts aus. Manche haben Verstand und manche haben keinen, sagt er, und so ist das eben.

Und jetzt sagen alle anderen: »Und was ist mit *uns?*« Deshalb ist es vielleicht das Beste, keine Vorstellungen mehr zu schreiben und mit dem Buch anzufangen.

A. A. M.

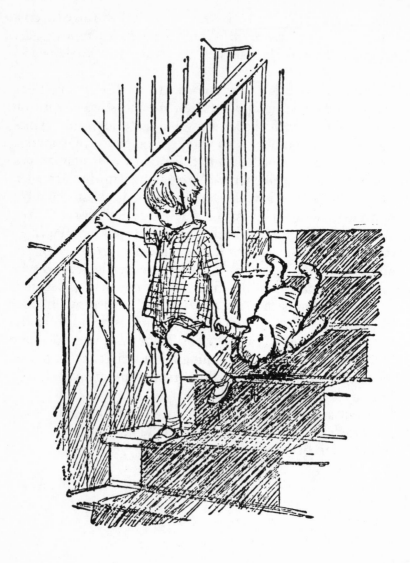

ERSTES KAPITEL

In welchem wir Winnie-dem-Pu und einigen Bienen vorgestellt werden und die Geschichten beginnen

Hier kommt nun Eduard Bär die Treppe herunter, rumpel-di-pumpel, auf dem Hinterkopf, hinter Christopher Robin. Es ist dies, soweit er weiß, die einzige Art treppab zu gehen, aber manchmal hat er das Gefühl, als gäbe es in Wirklichkeit noch eine andere Art, wenn er nur mal einen Augenblick lang mit dem Gerumpel aufhören und darüber nachdenken könnte. Und dann hat er das Gefühl, dass es vielleicht keine andere Art gibt. Jedenfalls ist er jetzt unten angekommen und bereit, dir vorgestellt zu werden. Winnie-der-Pu.

Als ich seinen Namen zum ersten Mal hörte, sagte ich, genau, wie du jetzt gleich sagen wirst: »Aber ich dachte, das wäre ein Junge?«

»Dachte ich auch«, sagte Christopher Robin.

»Dann kann man ihn doch nicht Winnie nennen, oder?«

»Tu ich ja gar nicht.«

»Aber du hast doch gesagt ...«

»Er heißt Winnie-*der*-Pu. Weißt du nicht, was *der* bedeutet?«

»Genau, genau, jetzt weiß ich es«, sagte ich schnell; und ich hoffe, du weißt es auch, denn mehr als diese Erklärung wirst du nicht kriegen.

Manchmal möchte Winnie-der-Pu irgendein Spiel spielen, wenn er die Treppe heruntergekommen ist, und manchmal sitzt er gern still vor dem Kamin und lauscht einer Geschichte. An diesem Abend ...

»Wie wär's mit einer Geschichte?«, sagte Christopher Robin.

»Ja, *wie* wär's mit einer Geschichte?«, sagte ich.

»Könntest du bitte so lieb und nett sein, Winnie-dem-Pu eine zu erzählen?«

»Ich glaube, das könnte ich«, sagte ich. »Welche Sorte von Geschichten mag er denn?«

»Über sich selbst. Denn *diese* Sorte von Bär ist er.«

»Aha, ich verstehe.«

»Würdest du also so überaus lieb und überaus nett sein?«

»Ich werde es versuchen«, sagte ich.

Also versuchte ich es.

Es war einmal vor einiger Zeit, und diese Zeit ist schon lange, lange her, etwa letzten Freitag, als Winnie-der-Pu ganz allein unter dem Namen Sanders in einem Wald wohnte.

(*»Was heißt ›unter dem Namen‹?«, fragte Christopher Robin.*

»Es heißt, dass er den Namen über der Tür in goldenen Buchstaben hatte und dass er darunter wohnte.«

»Winnie-der-Pu wollte es nur genauer wissen«, sagte Christopher Robin.

»Jetzt weiß ich es genauer«, sagte eine Brummstimme.
»Dann werde ich fortfahren«, sagte ich.)
Eines Tages, als er einen Spaziergang machte, kam er an eine
freie Stelle inmitten des Waldes, und inmitten dieser Stelle
stand eine große Eiche, und vom Wipfel des Baumes kam ein
lautes Summgeräusch. Winnie-der-Pu setzte sich an den Fuß

des Baumes, steckte den Kopf zwischen die Pfoten und begann zu denken.

Zuallererst sagte er sich: »Dieses Summgeräusch hat etwas zu bedeuten. Es gibt doch nicht so ein Summgeräusch, das so

einfach summt und summt, ohne dass es etwas bedeutet. Wenn es ein Summgeräusch gibt, dann macht jemand ein Summgeräusch, und der einzige Grund dafür, ein Summgeräusch zu machen, den *ich* kenne, ist, dass man eine Biene ist.«

Dann dachte er wieder lange nach und sagte: »Und der einzige Grund dafür, eine Biene zu sein, den ich kenne, ist Honig zu machen.«

Und dann stand er auf und sagte: »Und der einzige Grund, Honig zu machen, ist, damit ich ihn essen kann.« Also begann er den Baum hinaufzuklettern.

Er
kletterte
und
er
kletterte
und
er
kletterte
und
während
er
kletterte,
sang
er
sich
ein
kleines
Lied
vor.
Es
klang
etwa
so:

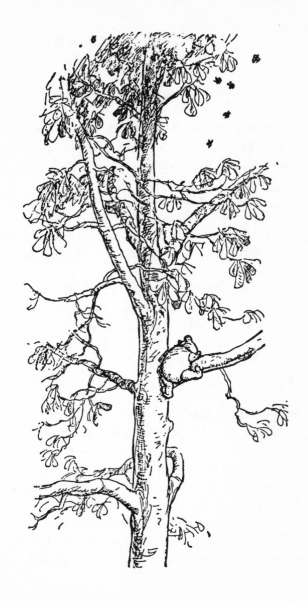

»Ich frage mich seit Jahr und Tag,
Warum ein Bär den Honig mag.
Summ! Summ! Summ!
Ich frage mich: warum?«

Dann kletterte er etwas weiter ... und noch etwas weiter ...
und dann noch ein bisschen weiter. Unterdessen war ihm ein
zweites Lied eingefallen.

»Schon seltsam, dass, wenn Bären Bienen wären,
Dann wäre ihnen auch ein Nest ganz unten eigen,
Und wenn es dann so wäre (die Bienen wären Bären),
Dann brauchten wir auch nicht so hoch zu steigen.«

Inzwischen war er ziemlich erschöpft, und deshalb sang er
ein Beklage-Lied. Er war nun fast da, und wenn er sich nur
noch auf diesen Ast stellte ...
Krach!
»Ach, Hilfe!«, sagte Pu, als er auf den Ast drei Meter tiefer
fiel.
»Wenn ich nur nicht ...«, sagte er, als er sechs Meter tiefer
auf dem nächsten Ast aufprallte.
»Ich wollte nämlich *eigentlich*«, erläuterte er, als er, diesmal
kopfüber, neun Meter tiefer auf einen weiteren Ast krachte,
»was ich *eigentlich* vorhatte ...«
»Natürlich war es ziemlich ...«, gab er zu, als er sehr schnell
durch die nächsten sechs Äste rauschte.
»Es kommt alles, nehme ich an, daher«, entschied er, als er
sich vom letzten Ast verabschiedete, sich dreimal um sich
selbst drehte und anmutig in einen Stechginsterbusch flog,

»es kommt alles daher, dass man Honig so
sehr *schätzt*. Ach, Hilfe!«
Er krabbelte aus dem Stechginsterbusch,
wischte sich die Stacheln von der Nase
und begann wieder zu denken. Und der
Erste, an den er dachte, war Christopher
Robin.

(»*War ich das?*«, *sagte Christopher Robin
mit ehrfürchtiger Stimme und wagte es
kaum zu glauben.*

»*Das warst du.*«
*Christopher Robin sagte nichts, aber seine Augen wurden
immer größer und sein Gesicht wurde immer röter.*)

Also besuchte Winnie-der-Pu seinen Freund Christopher Robin, der hinter einer grünen Tür in einem anderen Teil des Waldes wohnte.

»Guten Morgen, Christopher Robin«, sagte er.

»Guten Morgen, Winnie-*der*-Pu«, sagtest du.

»Ich frage mich, ob du wohl so etwas wie einen Ballon im Hause hast?«

»Einen Ballon?«

»Ja, ich sagte gerade zu mir, als ich vorbeikam: ›Ich frage mich, ob Christopher Robin wohl so etwas wie einen Ballon im Hause hat?‹ Ich sagte das nur so zu mir, weil ich gerade an Ballons dachte und weil ich mich das fragte.«

»Wozu möchtest du einen Ballon?«, sagtest du.

Winnie-der-Pu sah sich um, ob auch niemand lauschte, legte die Pfote an den Mund und flüsterte mit tiefer Stimme: »*Honig!*«

»Aber mit Ballons kriegt man keinen Honig!«

»Ich schon«, sagte Pu.

Ja, und zufällig warst du gerade am Tag zuvor auf einer Party im Haus deines Freundes Ferkel gewesen und auf der Party hatte es Ballons gegeben. Du hattest einen großen grünen Ballon gehabt; und einer von Kaninchens Verwandten hatte einen großen blauen gehabt und dort gelassen, weil er eigentlich noch zu jung war, um überhaupt auf Partys zu gehen; und deshalb hattest du den grünen *und* den blauen mit nach Hause genommen.

»Welchen möchtest du?«, fragtest du Pu.

Er steckte den Kopf zwischen die Pfoten und dachte sehr gründlich nach.

»Es ist nämlich so«, sagte er, »wenn man sich mit einem

Ballon Honig besorgen möchte, kommt es vor allen Dingen darauf an, die Bienen nicht merken zu lassen, dass man kommt. Wenn man nun also einen grünen Ballon hat, könnten sie denken, dass man nur ein Teil des Baumes ist, und sie bemerken einen nicht, und wenn man einen blauen Ballon hat, könnten sie denken, dass man nur ein Teil des Himmels ist, und sie bemerken einen nicht, und da ist die Frage: Was ist am wahrscheinlichsten?«

»Meinst du nicht, sie bemerken *dich* unter dem Ballon?«, fragtest du.

»Vielleicht, vielleicht auch nicht«, sagte Winnie-der-Pu. »Bei Bienen kann man nie wissen.« Er dachte einen Augenblick lang nach und sagte: »Ich werde versuchen wie eine kleine schwarze Wolke auszusehen. Das wird sie täuschen.«

»Dann nimm lieber den blauen Ballon«, sagtest du; und so wurde es beschlossen.

Und dann seid ihr beide mit dem blauen Ballon weggegangen, und du hast dein Gewehr mitgenommen, für alle Fälle, wie du das immer tust, und Winnie-der-Pu ging zu einer sehr schlammigen Stelle, die er kannte, und dort wälzte und wälzte er sich, bis er am ganzen Körper schwarz war; und dann, als der Ballon so groß aufgeblasen war, dass man ihn »groß« nennen konnte, hast du zusammen mit Pu die Schnur festge-

halten, und dann hast du plötzlich die Schnur losgelassen, und Pu Bär schwebte anmutig hinauf in den Himmel und blieb dort – auf gleicher Höhe mit dem Wipfel des Baumes und etwa sieben Meter davon entfernt.

»Hurra!«, hast du gerufen.

»Ist das nicht toll?«, rief dir Winnie von dort oben zu. »Wie sehe ich aus?«

»Du siehst aus wie ein Bär, der sich an einem Ballon festhält«, sagtest du.

»Nicht«, sagte Pu besorgt, »wie eine kleine schwarze Wolke in einem blauen Himmel?«

»Nicht sehr.«

»Na ja, vielleicht sieht es von hier oben anders aus. Und, wie ich schon sagte, bei Bienen kann man nie wissen.«

Es wehte kein Wind um ihn näher an den Baum zu blasen, und so blieb er, wo er war. Er konnte den Honig sehen, er konnte den Honig riechen, aber er kam nicht so richtig an den Honig heran.

Nach kurzer Zeit ließ er wieder von sich hören.

»Christopher Robin!«, flüsterte er laut.

»Hallo!«

»Ich glaube, die Bienen schöpfen *Verdacht!*«

»Was haben sie gedacht?«

»Ich weiß es nicht. Aber ich habe den Eindruck, dass sie *argwöhnisch* sind!«

»Vielleicht glauben sie, dass du hinter ihrem Honig her bist?«

»Daran könnte es liegen. Bei Bienen kann man nie wissen.«

Wieder trat Stille ein und dann wandte er sich wieder an dich.

»Christopher Robin!«

»Ja?«

»Hast du einen Regenschirm zu Hause?«

»Ich glaube schon.«

»Ich wäre froh, wenn du ihn hierher bringen könntest und damit auf und ab gehen könntest und hin und wieder zu mir heraufsehen könntest und ›Tz, tz, es sieht nach Regen aus‹ sagen könntest. Ich glaube, wenn du das tätest, würde uns das dabei helfen, diese Bienen zu täuschen.«

Da hast du nur in dich hineingelacht – »Dummer alter Bär!« –, aber du hast es nicht laut gesagt, weil du ihn so sehr mochtest, und bist nach Hause gegangen und hast deinen Regenschirm geholt.

»Ah, da bist du ja!«, rief Winnie-der-Pu dir von oben zu, sobald du wieder beim Baum warst. »Ich hatte bereits begonnen mir Sorgen zu machen. Ich habe festgestellt, dass die Bienen jetzt eindeutig Verdacht schöpfen.«

»Soll ich meinen Regenschirm aufspannen?«, sagtest du.

»Ja, aber warte noch einen Augenblick. Wir müssen praktisch vorgehen. Die wichtige Biene, die man täuschen muss, ist die Bienenkönigin. Kannst du von da unten sehen, welche die Bienenkönigin ist?«

»Nein.«

»Wie schade. Tja, dann, wenn du mit deinem Schirm auf und ab gehst und ›Tz, tz, es sieht nach Regen aus‹ sagst, werde ich ebenfalls mein Möglichstes tun und ein kleines Wolkenlied singen, wie es eine Wolke vielleicht singen würde … Jetzt!«
Während du also auf und ab gegangen bist und dich gefragt hast, ob es wohl regnen würde, sang Winnie-der-Pu dies Lied:

> »Als Wolke so im Blauen schweben,
> Das ist und bleibt das wahre Leben!
> Wenn ringsherum der Himmel blaut,
> Singt jede schwarze Wolke laut:
>
> ›Als Wolke so im Blauen schweben,
> Das ist und bleibt das wahre Leben!‹
> Sie fühlt sich, wenn es blaut,
> Sehr wohl in ihrer Haut.«

Die Bienen summten immer noch so argwöhnisch wie eh und je. Einige verließen sogar ihr Nest und flogen um die Wolke herum, als sie die zweite Strophe dieses Liedes anstimmte, und eine Biene setzte sich der Wolke einen Augenblick lang auf die Nase, flog dann aber wieder weiter.
»Christopher – *au!* – Robin«, rief die Wolke.
»Ja?«
»Ich habe gerade nachgedacht und ich bin zu einem sehr wichtigen Entschluss gekommen. *Dies ist die falsche Sorte Bienen.*«
»Ist sie das?«
»Die ganz falsche Sorte. Deshalb würde ich auch meinen, dass sie die falsche Sorte Honig machen, oder?«

28

»Machen sie das?«

»Ja. Deshalb meine ich, ich komme lieber wieder herunter.«

»Wie?«, hast du gefragt.

Darüber hatte Winnie-der-Pu nicht nachgedacht. Wenn er die Schnur losließ, würde er – *bums* – fallen, und dieser Gedanke gefiel ihm nicht. Deshalb dachte er lange Zeit nach und dann sagte er:

»Christopher Robin, du musst den Ballon mit deinem Gewehr abschießen. Hast du dein Gewehr dabei?«

»Natürlich habe ich mein Gewehr dabei«, sagtest du. »Aber wenn ich das tue, geht der Ballon kaputt.«

»Aber wenn du es *nicht* tust«, sagte Pu, »muss ich loslassen, und dann gehe *ich* kaputt.«

Als er es so ausdrückte, hast du gesehen, dass es so war, wie es war, und du hast sehr sorgfältig auf den Ballon gezielt und geschossen.

»*Au!*«, sagte Pu.

»Habe ich ihn verfehlt?«, fragtest du.

»Nicht direkt *verfehlt*«, sagte Pu, »aber den *Ballon* hast du verfehlt.«

»Das tut mir aber Leid«, sagtest du, und dann hast du noch mal geschossen, und diesmal hast du den Ballon getroffen, und langsam strömte die Luft aus, und Winnie-der-Pu schwebte sachte zu Boden.

Aber seine Arme waren davon, dass er die Ballonschnur so lange festgehalten hatte, so steif, dass sie noch länger als eine Woche lang in die Luft ragten, und wenn eine Fliege kam und sich auf seiner Nase niederließ, musste er sie wegblasen. Und ich glaube – aber ganz sicher weiß ich es nicht –, dass er *deshalb* immer Pu genannt wurde.

»Ist das das Ende der Geschichte?«, fragte Christopher Robin.

»Das ist das Ende dieser Geschichte. Es gibt noch andere.«

»Über Pu und mich?«

»Und Ferkel und Kaninchen und über euch alle. Erinnerst du dich nicht?«

»Natürlich erinnere ich mich und wenn ich mich dann zu erinnern versuche, vergesse ich es.«

»Der Tag, an dem Pu und Ferkel versuchten das Heffalump zu fangen ...«

»Sie haben es aber nicht gefangen, oder?«

»Nein.«

»Das könnte Pu auch gar nicht, weil er überhaupt keinen Verstand besitzt. Habe *ich* es gefangen?«

»Das kommt ja alles in der Geschichte vor.«

Christopher Robin nickte.

»Natürlich erinnere ich mich«, sagte er, »nur Pu erinnert sich nicht so recht und deshalb lässt er sich die Geschichte gern noch einmal erzählen. Denn dann ist es eine echte Geschichte und nicht bloß eine Erinnerung.«

»Ganz *meine* Meinung«, sagte ich.

Christopher Robin stieß einen tiefen Seufzer aus, packte seinen Bären am Bein und ging zur Tür, wobei er Pu hinter sich her zog. An der Tür drehte er sich um und sagte:

»Kommst du noch und siehst dir an, wie ich bade?«

»Vielleicht«, sagte ich.

»Ich habe ihm doch nicht wehgetan, als ich ihn angeschossen habe, oder?«

»Kein bisschen.«

Er nickte und ging hinaus und einen Augenblick später hörte ich, wie Winnie-der-Pu – *rumpeldipumpel* – hinter ihm die Treppe hinaufging.

ZWEITES KAPITEL

In welchem Pu einen Besuch macht und an eine enge Stelle gerät

Eduard Bär, seinen Freunden auch als Winnie-der-Pu bekannt, oder einfach Pu, ging eines Tages durch den Wald und summte stolz vor sich hin. Er hatte an jenem Morgen ein kleines Gesumm erdacht, während er vor dem Spiegel seine Kraftübungen machte: *Tra-la-la, tra-la-la,* und er reckte sich, so hoch er konnte, und dann *Tra-la-la, tra-la – Oh! Hilfe! – la,* als er versuchte seine Zehen zu erreichen. Nach dem Frühstück hatte er es sich immer wieder aufgesagt, bis er es auswendig konnte, und jetzt summte er es vollständig und fehlerfrei von vorne bis hinten durch. Es ging so:

> *Tra-la-la, tra-la-la,*
> *Tra-la-la, tra-la-la,*
> *Rum-tum-tiedel-um-tum,*
> *Tiedel-diedel, tiedel-diedel,*
> *Tiedel-diedel, tiedel-diedel,*
> *Rum-tum-tum-tiedel-dum.*«

Er summte sich also dies Gesumm vor und ging froh vor sich hin und fragte sich, was wohl alle anderen machten und was das wohl für ein Gefühl wäre ein anderer zu sein, als er plötzlich an einen sandigen Abhang kam, und in dem Abhang war ein großes Loch.

»Aha!«, sagte Pu. *(Rum-tum-tiedel-um-tum.)* »Wenn ich überhaupt irgendwas über irgendwas weiß, bedeutet dieses Loch Kaninchen«, sagte er, »und Kaninchen bedeutet Gesellschaft«, sagte er, »und Gesellschaft bedeutet Essen und Mir-beim-Summen-Zuhören und Ähnliches in der Art. *Rumtumtum-tiedel-dum.*«

Also bückte er sich, steckte seinen Kopf in das Loch und rief: »Ist jemand zu Hause?«

Plötzlich hörte man innen im Loch ein Trippeln und dann war es wieder still.

»Ich sagte: ›Ist jemand zu Hause?‹«, rief Pu sehr laut.

»Nein!«, sagte eine Stimme; dann fügte die Stimme hinzu: »Du brauchst nicht so laut zu rufen. Beim ersten Mal habe ich dich bereits sehr gut gehört.«

»So ein Mist!«, sagte Pu. »Ist denn überhaupt niemand da?«

»Niemand.«

Winnie-der-Pu zog seinen Kopf aus dem Loch und dachte ein wenig, und zwar dachte er: Es muss jemand da sein, denn jemand muss »niemand« *gesagt* haben. Also steckte er seinen Kopf ins Loch zurück und sagte:

»Hallo, Kaninchen, bist du das nicht?«

»Nein«, sagte Kaninchen, diesmal mit einer anderen Stimme.

»Aber ist das nicht Kaninchens Stimme?«

»Ich *glaube* nicht«, sagte Kaninchen. »Jedenfalls *soll* sie es nicht sein.«

»Oh!«, sagte Pu.

Er zog seinen Kopf aus dem Loch, dachte noch einmal gründlich nach, steckte den Kopf ins Loch zurück und sagte: »Könnten Sie mir dann liebenswürdigerweise sagen, wo Kaninchen ist?«

»Kaninchen besucht gerade seinen Freund Pu Bär, mit dem es sehr befreundet ist.«

»Aber das bin *ich* doch!«, sagte Bär überaus erstaunt.

»Welche Sorte von Ich?«

»Pu Bär.«

»Bist du sicher?«, fragte Kaninchen noch erstaunter.

»Ganz, ganz sicher«, sagte Pu.

»Na, dann komm doch einfach rein.«

Also gab sich Pu einen Schubs und noch einen Schubs und noch einen Schubs in das Loch hinein, und schließlich war er drin.

»Du hattest völlig Recht«, sagte Kaninchen und sah ihn von oben bis unten an. »Du *bist* es. Schön dich zu sehen.«

»Wer hätte ich denn sonst sein sollen?«

»Da war ich mir nicht sicher. Du weißt, wie es im Wald ist. Man kann nicht *jeden* in sein Haus lassen. Man muss *vorsichtig* sein. Wie wäre es mit einem Mundvoll irgendwas?«

Pu nahm immer schon um elf Uhr vormittags gern eine Kleinigkeit zu sich und er war sehr froh, als er sah, wie Kaninchen die Teller und Tassen hervorholte, und als Kaninchen sagte: »Honig oder Kondensmilch zum Brot?«, war er so aufgeregt, dass er sagte: »Beides«, und dann, um nicht gierig zu wirken, fügte er »Aber mach dir wegen des Brots keine Umstände« hinzu. Und danach sagte er lange Zeit gar nichts … bis er schließlich, mit ziemlich klebriger Stimme vor sich hin summend, aufstand, Kaninchen liebevoll die Pfote drückte und sagte, nun müsse er aber weiter.

»Musst du wirklich?«, sagte Kaninchen höflich.

»Tja«, sagte Pu, »ich könnte noch ein wenig bleiben, wenn es … wenn du …«, und er versuchte angestrengt nicht dorthin zu starren, wo der Küchenschrank stand.

»Übrigens«, sagte Kaninchen, »wollte ich ebenfalls soeben das Haus verlassen.«

»Tja, dann will ich mal weiter. Lebe wohl.«

»Gut, gut, lebe wohl, falls du bestimmt nichts mehr möchtest.«

»*Gibt* es denn noch mehr?«, fragte Pu schnell.

Kaninchen hob den Deckel von jedem Topf und sagte: »Nein, es war schon alles verputzt.«

»Das hatte ich mir gedacht«, sagte Pu und nickte bestätigend. »Na, dann lebe wohl. Ich muss weiter.«

Und er begann aus dem Loch zu klettern. Er zog mit den Vorderpfoten und drückte mit den Hinterpfoten und nach

einer gewissen Zeit war seine Nase wieder im Freien ... und dann seine Ohren ... und dann seine Vorderpfoten ... und dann seine Schultern ... und dann ...

»Ach, Hilfe!«, sagte Pu. »Ich gehe lieber wieder zurück.«

»So ein Mist!«, sagte Pu. »Ich muss hinaus.«

»Es gelingt mir beides nicht!«, sagte Pu. »Ach, Hilfe *und* so ein Mist!«

Unterdessen wollte Kaninchen ebenfalls einen kleinen Gang tun, und da die Vordertür bereits voll war, ging es zur Hintertür hinaus und kam zu Pu und sah ihn an.

»Hallo, sitzt du fest?«, fragte es.

»N-nein«, sagte Pu sorglos. »Ich ruhe mich nur aus und denke und summe vor mich hin.«

»Komm, gib mir eine Pfote.«

Pu Bär streckte eine Pfote aus und Kaninchen zog und zog und zog ...

»*Au!*«, schrie Pu. »Du tust mir weh!«

»Es ist eine Tatsache«, sagte Kaninchen. »Du sitzt fest.«

»Das kommt alles daher«, sagte Pu verärgert, »dass man Vordereingänge hat, die nicht groß genug sind.«

»Das kommt alles daher«, sagte Kaninchen streng, »dass man zu viel isst. Ich dachte vorhin schon«, sagte Kaninchen, »wollte aber nichts sagen«, sagte Kaninchen, »dass einer von uns beiden zu viel isst«, sagte Kaninchen, »und ich wusste, dass *ich* nicht derjenige war«, sagte es. »Dann werde ich mich mal auf den Weg machen und Christopher Robin holen.«

Christopher Robin wohnte am anderen Ende des Waldes, und als er mit Kaninchen zurückkam und die vordere Hälfte von Pu sah, sagte er »Dummer alter Bär« mit so liebevoller Stimme, dass jeder wieder Hoffnung fasste.

»Mir fiel gerade ein«, sagte Bär und schniefte leicht, »dass Kaninchen vielleicht nie wieder seinen Vordereingang benutzen kann. Und das wäre mir ein *schrecklicher* Gedanke«, sagte er.

»Mir auch«, sagte Kaninchen.

»Seinen Vordereingang benutzen?«, sagte Christopher Robin. »Natürlich wird es seinen Vordereingang wieder benutzen.«

»Gut«, sagte Kaninchen.

»Wenn wir dich nicht herausziehen können, Pu, schieben wir dich vielleicht wieder zurück.«

Kaninchen kratzte sich nachdenklich am Schnurrbart und wies darauf hin, dass, sobald Pu zurückgeschoben worden war, er wieder zurück war, und natürlich könne es selbst, Kaninchen, sich nichts Schöneres vorstellen, als Pu bei sich zu Hause begrüßen zu dürfen, aber so sei es doch nun mal, manche wohnten auf Bäumen, und manche wohnten unterirdisch, und ...

»Du meinst, ich komme hier *nie* wieder raus?«, sagte Pu.

»Ich meine«, sagte Kaninchen, »dass es, nachdem du nun schon mal *so* weit vorgedrungen bist, Verschwendung wäre, nicht in derselben Richtung weiterzuarbeiten.«

Christopher Robin nickte.

»Dann gibt es nur eins«, sagte er. »Wir werden warten müssen, bis du wieder dünner bist.«

»Wie lange dauert Dünnerwerden?«, fragte Pu besorgt.

»Etwa eine Woche, würde ich annehmen.«

»Aber ich kann doch nicht eine *Woche* lang hier bleiben!«

»*Bleiben* kannst du hier ganz leicht, dummer alter Bär. Dich hier her*aus*zukriegen ist so schwierig.«

»Wir werden dir vorlesen«, sagte Kaninchen vergnügt.

»Und ich hoffe, dass es nicht schneit«, fügte es hinzu. »Außerdem, mein Alter, nimmst du in meinem Haus reichlich viel Platz ein ... *Würde* es dir etwas ausmachen, wenn ich deine Hinterbeine als Handtuchhalter verwende? Ich meine, sie sind nun mal da – untätig – und es wäre sehr praktisch, wenn ich meine Handtücher dort zum Trocknen aufhängen könnte.«

»Eine Woche!«, sagte Pu düster. »*Wie ist es mit den Mahlzeiten?*«

»Mahlzeiten wird es, fürchte ich, nicht geben«, sagte Christopher Robin, »wegen des schnelleren Dünnerwerdens. Aber *vorlesen* werden wir dir.«

Bär wollte gerade seufzen, merkte dann aber, dass er das nicht konnte, weil er so eingeklemmt war; eine Träne rollte ihm die Wange hinunter, als er sagte:

»Würdest du dann bitte ein gehaltvolles Buch vorlesen, eins, das einem eingeklemmten Bären in starker Bedrängnis Hilfe und Trost spendet?«

Also las Christopher Robin dem Nordende von Pu ein solches Buch vor, und Kaninchen hängte seine Wäsche am Südende auf ... und dazwischen spürte Bär, wie er

immer schlanker wurde. Und als die Woche vorüber war, sagte Christopher Robin: »*Jetzt!*«
Also packte er Pus Vorderpfoten, und Kaninchen packte Christopher Robin, und sämtliche Bekannten und Verwandten von Kaninchen packten Kaninchen, und alle zogen ...
Und lange Zeit sagte Pu nur: »*Au!*« ...
Und: »*Ach!*« ...

Und dann, ganz plötzlich, sagt er: »*Plopp!*«, genau wie ein Korken, der aus der Flasche gezogen wird.
Und Christopher Robin und Kaninchen und sämtliche Bekannten und Verwandten von Kaninchen fielen auf den Rücken ... und oben auf sie drauf fiel Winnie-der-Pu –: frei!
Also schenkte er seinen Freunden ein Nicken des Dankes und setzte seinen Weg fort, wobei er stolz vor sich hin summte. Aber Christopher Robin sah ihm liebevoll nach und sagte »Dummer alter Bär!« vor sich hin.

Drittes Kapitel

In welchem Pu und Ferkel auf die Jagd gehen und beinahe ein Wuschel fangen

Das Ferkel wohnte in einer großartigen Wohnung inmitten einer Buche, und die Buche stand inmitten des Waldes, und das Ferkel wohnte inmitten der Wohnung. Gleich neben der Wohnung stand ein zerbrochenes Schild, auf dem »BETRETEN V« stand. Als Christopher Robin das Ferkel fragte, was das zu bedeuten habe, sagte es, das sei der Name seines Großvaters, ein Name, der schon lange in der Familie sei. Christopher Robin sagte, man *könne* nicht Betreten V heißen, und Ferkel sagte, doch, das könne man, sein Großvater *habe* ja so geheißen und es sei die Abkürzung von Betreten Vic, welches die Abkürzung von Betreten Victor sei. Und sein Großvater habe zwei Namen gehabt, für den Fall, dass er mal einen verlöre: Betreten nach einem Onkel und Victor nach Betreten.

»Ich habe auch zwei Namen«, sagte Christopher Robin leichtsinnig.

»Siehst du, das beweist es ja«, sagte Ferkel.

An einem schönen Wintertag, als Ferkel gerade den Schnee vor seiner Wohnung wegfegte, blickte es zufällig von seiner Arbeit auf, und da war Winnie-der-Pu. Pu ging immer im Kreis herum und dachte an etwas anderes, und als Ferkel mit ihm reden wollte, ging er einfach weiter.

»Hallo!«, sagte Ferkel. »Was machst *du* denn?«

»Ich jage«, sagte Pu.

»Was jagst du denn?«

»Ich spüre etwas auf«, sagte Pu sehr geheimnisvoll.

»Was spürst du denn auf?«, sagte Ferkel und kam näher.

»Genau das frage ich mich auch. Ich frage mich: Was?«

»Und was, glaubst du, wirst du dir antworten?«

»Ich muss warten, bis ich es eingeholt habe«, sagte Winnie-der-Pu. »Da, sieh mal.« Er zeigte auf den Boden vor sich. »Was siehst du da?«

»Spuren«, sagte Ferkel. »Pfotenabdrücke.« Es quiekte leicht vor Aufregung. »Oh, Pu! Glaubst du, es ist ein … ein … ein Wuschel?«

»Könnte sein«, sagte Pu. »Manchmal ist es das und manchmal ist es das nicht. Bei Pfotenabdrücken kann man nie wissen.«

Nach diesen knappen Worten nahm er die Spurensuche wieder auf und Ferkel rannte ihm, nachdem es ihn ein bis zwei Minuten lang beobachtet hatte, nach. Winnie-der-Pu war plötzlich stehen geblieben und beugte sich verblüfft über die Spuren.

»Was ist los?«, fragte Ferkel.

»Es ist sehr merkwürdig«, sagte Bär, »aber es scheinen plötzlich *zwei* Tiere zu sein. Diesem – egal, was es war – scheint sich ein weiteres – egal, was es ist – angeschlossen zu haben, und die beiden setzen nun gemeinsam ihren Weg fort. Würde es dir etwas ausmachen mich zu begleiten, Ferkel, falls sie sich als feindselige Tiere erweisen sollten?«

Ferkel kratzte sich sehr anmutig am Ohr und sagte, bis nächsten Freitag habe es nichts vor, und es würde ihn mit Vergnügen begleiten, falls es tatsächlich ein Wuschel *war*.

»Du meinst, falls es tatsächlich zwei Wuschel sind«, sagte Winnie-der-Pu, und Ferkel sagte, bis nächsten Freitag habe es jedenfalls nichts vor. So gingen sie zusammen los.

Genau dort befand sich ein kleines Dickicht aus Lärchenbäumen und es schien, als wären die beiden Wuschel, falls es welche waren, um dieses Dickicht herumgegangen; also folgten ihnen Pu und Ferkel um dieses Dickicht herum; Ferkel vertrieb sich die Zeit, indem es Pu erzählte, was sein Großvater Betreten V gegen Steifheit in den Gliedern nach der Spurensuche unternommen hatte und wie sein Großvater Betreten V in seinen späteren Jahren an Kurzatmigkeit gelitten habe, sowie anderes Interessantes, und Pu fragte sich, wie ein Großvater wohl aussehen mochte und ob sie vielleicht gerade zwei Großvätern auf der Spur waren und ob er, falls es so war, einen davon mit nach Hause nehmen und behalten durfte, und was Christopher Robin dazu sagen würde. Und immer noch liefen die Spuren vor ihnen her ...

Plötzlich blieb Winnie-der-Pu stehen und zeigte aufgeregt nach vorn. »*Kuck mal!*«

»*Was?*«, sagte Ferkel und sprang in die Luft. Und dann, um

zu zeigen, dass es keine Angst gehabt hatte, sprang es noch ein paar Mal in die Luft, und das sah aus wie Turnübungen.

»Die Spuren!«, sagte Pu. »*Ein drittes Tier hat sich den beiden anderen angeschlossen!*«

»Pu!«, schrie Ferkel. »Glaubst du, es ist ein weiteres Wuschel?«

»Nein«, sagte Pu, »denn es hinterließ andere Spuren. Es sind entweder zwei Wuschel und ein, falls es das ist, Wischel oder zwei, falls sie das sind, Wischel und ein, falls es das ist, Wuschel. Wir wollen ihnen weiter folgen.«

So gingen sie weiter, nur waren sie jetzt ein wenig besorgt, es könnte ja sein, dass die drei Tiere vor ihnen feindselige Absichten hegten. Und Ferkel wünschte sich, sein Großvater B.V. wäre hier anstatt woanders, und Pu dachte, wie schön es doch wäre, wenn sie jetzt plötzlich und ganz zufällig Christopher Robin träfen, und zwar nur, weil er Christopher Robin so gern hatte. Und dann, ganz plötzlich, blieb Winnie-der-Pu wieder stehen und leckte sich die Nasenspitze, denn ihm

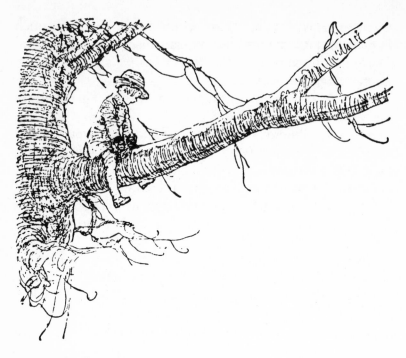

war so heiß, und er war so besorgt wie noch nie in seinem Leben. *Da waren vier Tiere vor ihnen!*

»Siehst du das, Ferkel? Sieh dir ihre Spuren an! Drei, falls sie welche sind, Wuschel und ein, falls es eins ist, Wischel. *Ein weiteres Wuschel ist dazugekommen!*«

Genauso schien es zu sein. Dort waren die Spuren; hier liefen sie übereinander, dort vermengten sie sich; aber ganz deutlich sah man sie hier und da: die Spuren von vier Pfotenpaaren.

»Ich *glaube*«, sagte Ferkel, nachdem es sich ebenfalls die Nase geleckt und gefunden hatte, dass dies wenig Trost brachte, »ich *glaube*, mir ist gerade etwas eingefallen. Mir ist gerade etwas eingefallen, was ich gestern zu tun vergessen habe und was ich morgen nicht tun kann. Deshalb finde ich, ich sollte wirklich nach Hause gehen und es jetzt tun.«

»Wir werden es heute Nachmittag tun und dann komme ich mit«, sagte Pu.

»Es ist nichts, was man nachmittags tun kann«, sagte Ferkel schnell. »Es ist eine ganz spezielle Morgensache, die morgens getan werden muss, und zwar, wenn möglich, zwischen … Was würdest du sagen, Pu, wie spät ist es jetzt?«

»Etwa zwölf«, sagte Winnie-der-Pu und sah nach der Sonne.

»Zwischen, wie ich schon sagte, zwölf und fünf nach zwölf. Also, wirklich, liebster, bester Pu, wenn du mich einstweilen entschuldigst … *Was ist das?*«

Pu sah in den Himmel hinauf, und dann, als er den Pfiff noch einmal hörte, in die Äste einer hohen Eiche, und dann sah er einen Freund.

»Es ist Christopher Robin«, sagte er.

»Dann brauche ich mir ja keine Sorgen mehr um dich zu machen«, sagte Ferkel. »Mit *ihm* kann dir nichts passieren. Lebe wohl«, und es trabte so schnell wie möglich nach Hause, sehr froh darüber, aller Gefahr entronnen zu sein.

Christopher Robin kam langsam von seinem Baum herunter.

»Dummer alter Bär«, sagte er, »was hast du denn gemacht? Zuerst bist du zweimal allein um das Dickicht herumgegangen, dann ist dir Ferkel nachgelaufen, und ihr seid zusammen

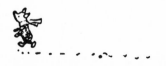

um das Dickicht gegangen, und dann, als ihr gerade zum vierten Mal ...«

»Warte mal«, sagte Pu und hielt eine Pfote hoch.

Er setzte sich hin und dachte, und zwar so nachdenklich, wie er nur denken konnte. Dann stellte er seine Hinterpfote in einen der Pfotenabdrücke ... Und dann kratzte er sich zweimal an der Nase und stand auf.

»Ja«, sagte Winnie-der-Pu.

»Jetzt verstehe ich«, sagte Winnie-der-Pu.

»Ich war ein verblendeter Narr«, sagte er, »und ich bin ein Bär ohne jeden Verstand.«

»Du bist der beste Bär der ganzen Welt«, sagte Christopher Robin beruhigend.

»Stimmt das?«, sagte Pu voller Hoffnung. Und dann erhellte sich plötzlich seine Miene.

»Auf jeden Fall«, sagte er, »ist es schon fast Zeit zum Mittagessen.« Deshalb ging er nach Hause.

VIERTES KAPITEL

In welchem I-Ah einen Schwanz verliert und Pu einen findet

Der alte graue Esel, I-Ah, stand allein in einem distelbewachsenen Winkel des Waldes, die Vorderbeine gespreizt, den Kopf auf eine Seite gelegt, und dachte über alles nach. Manchmal dachte er traurig bei sich: Warum?, und manchmal dachte er: Wozu?, und manchmal dachte er: Inwiefern? –, und manchmal wusste er nicht so recht, worüber er nachdachte. Als also Winnie-der-Pu herangestapft kam, war er sehr froh, weil er ein bisschen mit Denken aufhören konnte um in düsterer Weise »Wie geht es dir?«, zu ihm zu sagen.

»Und wie geht es dir?«, sagte Winnie-der-Pu.

I-Ah schüttelte den Kopf von einer Seite zur anderen.

»Nicht sehr wie«, sagte er. »Mir scheint es schon seit längerer Zeit überhaupt nicht mehr gegangen zu sein.«

»Meine Güte«, sagte Pu, »das tut mir aber Leid. Lass dich mal anschauen.«

So stand I-Ah da, starrte traurig den Boden an und Winnie-der-Pu ging einmal um ihn herum.

»Was *ist* denn mit deinem Schwanz passiert?«, sagte er überrascht.

»Was ist denn mit ihm passiert?«, sagte I-Ah.

»Er ist nicht da!«

»Bist du sicher?«

»Also, entweder *ist* ein Schwanz da oder er ist nicht da. Da kann man keinen Fehler machen, und deiner ist *nicht* da!«

»Sondern?«

»Nichts.«

»Ich muss mal nachsehen«, sagte I-Ah und er drehte sich langsam dorthin, wo sein Schwanz vor kurzem gewesen war, und dann, als er merkte, dass er ihn nicht einholen konnte, drehte er sich andersherum, bis er dorthin zurückkam, wo er zuerst gewesen war, und dann senkte er den Kopf und sah

zwischen seinen Vorderbeinen hindurch, und zum Schluss sagte er mit einem langen, traurigen Seufzer: »Ich glaube, du hast Recht.«

»Natürlich habe ich Recht«, sagte Pu.

»Das erklärt einiges«, sagte I-Ah düster. »Es erklärt alles. Kein Wunder.«

»Du musst ihn irgendwo gelassen haben«, sagte Winnie-der-Pu.

»Jemand muss ihn genommen haben«, sagte I-Ah. »Das sieht ihnen ähnlich«, fügte er nach langem Schweigen hinzu.

Pu fand, dass er etwas Hilfreiches sagen sollte, aber er wusste nicht recht, was. Also beschloss er stattdessen etwas Hilfreiches zu tun.

»I-Ah«, sagte er feierlich, »ich, Winnie-der-Pu, werde deinen Schwanz für dich finden.«

»Danke, Pu«, erwiderte I-Ah, »du bist ein echter Freund«, sagte er. »Nicht wie manche anderen«, sagte er.

Also machte sich Winnie-der-Pu auf den Weg um I-Ahs Schwanz zu finden.

Es war ein schöner Frühlingsmorgen im Wald, als er losging. Kleine, weiche Wolken spielten froh an einem blauen Himmel und hüpften hin und wieder vor die Sonne, als wollten sie sie ausknipsen, und glitten ganz plötzlich wieder weg, damit die nächste Wolke es auch mal versuchen konnte. Durch sie hindurch und zwischen ihnen schien tapfer die Sonne, und ein Wäldchen, das seine Tannen das ganze Jahr hindurch getragen hatte, sah jetzt neben der neuen grünen Spitze, mit der sich die Buchen geschmückt hatten, alt und ungepflegt aus. Durch Gehölz und Dickicht marschierte Bär, offene Hänge voller Stechginster und Heidekraut hinab, über felsige Flussbetten, steile Böschungen aus Sandstein hinauf und wieder ins Heidekraut; und so zum Schluss in den Hundertsechzig-Morgen-Wald. Denn im Hundertsechzig-Morgen-Wald wohnte Eule.

»Und wenn irgendwer irgendwas über irgendwas weiß«, sagte sich Bär, »dann ist es Eule, die was über was weiß«, sagte er, »oder ich heiße nicht Winnie-der-Pu«, sagte er. »Ich heiße aber so«, fügte er hinzu. »Und das beweist, dass ich Recht habe.«

Eule wohnte an einer Adresse namens »Zu den Kastanien«, einem Landsitz von großem Zauber, wie man ihn aus der Alten Welt kennt, und diese Adresse war großartiger als alle anderen; zumindest kam es dem Bären so vor, denn sie hatte *sowohl* einen Türklopfer *als auch* einen Klingelzug. Unter dem Türklopfer war ein Zettel mit der Aufschrift:

BTTE KLNGLN FALS NTWORT RWATET WIRT.

Unter dem Klingelzug war ein Zettel mit der Aufschrift:

BTTE KLOPFFN FALS KAINE NTWORT
RWATET WIRT

Diese Zettel waren von Christopher Robin beschriftet worden, welcher der Einzige im Wald war, der buchstabieren konnte; denn Eule, so weise sie in vielen Dingen war, und obwohl sie lesen und schreiben und ihren eigenen Namen OILE buchstabieren konnte, wurde von feineren Wörtern wie ZIEGENPETER oder TOASTMITBUTTER zur Verzweiflung getrieben.

Winnie-der-Pu las die beiden Zettel sehr sorgfältig, zuerst von links nach rechts und danach, falls ihm etwas entgangen sein sollte, von rechts nach links. Dann, um ganz sicherzugehen, klopfte und zog er den Türklopfer und zog und beklopfte den Klingelzug, und dazu rief er mit sehr lauter Stimme: »Eule! Ich erwarte eine Antwort! Hier spricht Bär.«

Und die Tür öffnete sich und Eule sah heraus.

»Hallo, Pu«, sagte sie. »Wie geht'sss, wie steht'sss?«

»Schrecklich und traurig«, sagte Pu, »weil I-Ah, der ein Freund von mir ist, seinen Schwanz verloren hat. Und jetzt bläst er Trübsal. Könntest du mir also überaus freundlicherweise sagen, wo ich ihn, den Schwanz, für ihn, I-Ah, finden kann?«

»Nun«, sagte Eule, »in solchen Fällen issst die übliche Verfahrensssweise wie folgt: ...«

»Was bedeutet ›übrige Sahnespeise‹?«, sagte Pu. »Denn ich

bin ein Bär von sehr wenig Verstand, und lange Wörter jagen mir Angst ein.«

»Esss bedeutet, wasss zzzu tun issst.«

»Solange es das bedeutet, habe ich nichts dagegen«, sagte Pu demütig.

»Wasss zzzu tun issst, issst Folgendes. Zzzuersssst mussssss man eine Belohnung aussssetzzzen. Dann …«

»Augenblick mal«, sagte Pu und hielt eine Pfote in die Luft. »Was müssen wir mit diesem Ding tun, was du gerade gesagt hast? Du hast gerade geniest, als du es mir sagen wolltest.«

»Ich habe *nicht* geniessst.«

»Doch, du hast geniest, Eule.«

»Entschuldige, Pu, aber ich habe nicht geniessst. Man kann nicht niesen ohne esss zu wisssssssen.«

»Aber man kann es auch nicht wissen, ohne dass irgendwas geniest worden wäre.«

»Wasss ich sagte, war, dassssss man zzzuersssst eine Belohnung aussssetzzzen mussssss.«

»Jetzt hast du schon wieder geniest«, sagte Pu traurig.

»Eine Belohnung!«, sagte Eule sehr laut. »Wir schreiben einen Zzzettel, auf dem steht, dassssss wir jedem, der I-Ahsss Schwanzzz findet, ein grosssssessss Sowieso geben.«

»Verstehe, verstehe«, sagte Pu und nickte. »Da wir gerade von großen Sowiesos sprechen«, fuhr er träumerisch fort, »um diese Zeit nehme ich gewöhnlich ein kleines Sowieso zu mir ... Etwa um diese Zeit am Vormittag«, und er blickte wehmütig den Schrank in Eules Salon an; »nur einen Mundvoll Dosenmilch oder sonst was, vielleicht mit einer Idee Honig ...«

»Wir schreiben also«, sagte Eule, »diesen Zzzettel und wir hängen ihn überall im Wald auf.«

»Eine Idee Honig«, murmelte Bär vor sich hin, »oder ... Oder auch nicht, je nachdem.« Und er stieß einen tiefen Seufzer aus und versuchte angestrengt dem zuzuhören, was Eule sagte.

Aber Eule sprach immer weiter und benutzte immer längere Wörter, bis sie zum Schluss dorthin zurückkam, wo sie angefangen hatte, woraufhin sie erklärte, die Person, die diesen Zettel schreiben müsse, sei Christopher Robin.

»Er hat mir auch die Zzzettel an meiner Eingangsssstür geschrieben. Hassst du sie gesehen, Pu?«

Pu sagte nun schon seit einiger Zeit abwechselnd »Ja« und »Nein« mit geschlossenen Augen, zu allem, was Eule sagte, und da er zuletzt »Ja, ja« gesagt hatte, sagte er diesmal »Nein, nicht im Geringsten«, ohne wirklich zu wissen, worüber Eule sprach.

»Hassst du sie nicht gesehen?«, sagte Eule ein wenig überrascht. »Komm und sieh sie dir jetzzzt an.«

Also gingen sie hinaus. Und Pu betrachtete den Türklopfer
und den Zettel darunter, und er betrachtete den Klingelzug
und den Zettel darunter, und je länger er den Klingelzug
betrachtete, desto mehr hatte er das Gefühl, dass er schon

einmal etwas Ähnliches gesehen hatte, irgendwo anders, irgendwann zuvor.

»Hübscher Klingelzzzug, stimmt'sss?«, sagte Eule.

Pu nickte.

»Er erinnert mich an etwas«, sagte er, »aber ich komme nicht darauf, woran. Woher hast du ihn?«

»Ich bin im Wald darauf gestoßßßen. Er hing an einem Busch, und zzzuersssst dachte ich, dassssss dort jemand wohnt, dessshalb habe ich daran geklingelt und nichtsss passssssierte, und dann habe ich noch einmal ganzzz laut geklingelt, und da issst esss abgegangen, und ich hatte esss in der Hand, und weil niemand esss zu brauchen schien, habe ich esss mit nach Hause genommen, und ...«

»Eule«, sagte Pu feierlich, »du hast einen Fehler gemacht. Jemand hat es gebraucht.«

»Wer?«

»I-Ah. Mein lieber Freund I-Ah. Er ... Er hatte es sehr lieb.«

»Lieb?«

»Er war ihm verbunden«, sagte Pu traurig.

Mit diesen Worten entfernte er den Schwanz von dort, wo er

festgehakt war, und trug ihn zurück zu I-Ah, und als Christopher Robin ihn wieder an seinem richtigen Platz festgenagelt hatte, tobte I-Ah durch den Wald und wedelte so glücklich mit dem Schwanz, dass Winnie-dem-Pu ganz komisch zu Mute wurde und er schnell nach Hause musste um einen kleinen Mundvoll oder Ähnliches zu sich zu nehmen um bei Kräften zu bleiben. Und als er sich eine halbe Stunde später den Mund wischte, sang er stolz vor sich hin:

> » *Wer fand den Schwanz?*
> ›Ich‹, sprach Pu,
> ›Um Viertel vor Ganz
> (das heißt, es war um Viertel vor elf),
> *Ich* fand den Schwanz!‹«

FÜNFTES KAPITEL

In welchem Ferkel ein Heffalump trifft

Eines Tages, als Christopher Robin und Winnie-der-Pu und Ferkel alle miteinander sprachen, schluckte Christopher Robin das, was er gerade im Munde hatte, herunter und sagte beiläufig: »Heute habe ich ein Heffalump gesehen, Ferkel.«
»Was hat es gemacht?«, fragte Ferkel.
»Einfach so vor sich hin gelumpt«, sagte Christopher Robin. »Ich glaube nicht, dass es *mich* gesehen hat.«
»Ich habe auch mal eins gesehene, sagte Ferkel. »Jedenfalls glaube ich, dass ich eins gesehen habe«, sagte es. »Aber vielleicht war es gar keins.«
»Ich auch«, sagte Pu und fragte sich, wie ein Heffalump wohl aussehen mochte.

»Man sieht sie nicht oft«, sagte Christopher Robin beiläufig.

»Im Augenblick nicht«, sagte Ferkel.

»Nicht in dieser Jahreszeit«, sagte Pu.

Dann sprachen sie alle über etwas anderes, bis es für Pu und Ferkel Zeit wurde zusammen nach Hause zu gehen. Zuerst, als sie den Pfad entlangstapften, der den Hundertsechzig-Morgen-Wald begrenzte, sprachen sie nicht viel miteinander, aber als sie an den Bach kamen und als sie einander über die Trittsteine geholfen hatten und wieder nebeneinander über das Heidekraut gehen konnten, begannen sie sich freundschaftlich über dies und jenes zu unterhalten, und Ferkel sagte: »Falls du verstehst, was ich meine, Pu«, und Pu sagte: »Genau das finde ich auch, Ferkel«, und Ferkel sagte: »Aber andererseits, Pu, müssen wir auch daran denken«, und Pu sagte: »Sehr richtig, Ferkel, es war mir nur kurz entfallen.« Und dann, gerade als sie zu den Sechs Tannen kamen, blickte Pu sich um um zu sehen, dass niemand lauschte, und sagte mit sehr feierlicher Stimme:

»Ferkel, ich habe etwas beschlossen.«

»Was hast du beschlossen, Pu?«

»Ich habe beschlossen ein Heffalump zu fangen.«

Pu nickte mehrmals mit dem Kopf, als er dies sagte, und wartete darauf, dass Ferkel »Wie?« sagte oder »Aber Pu, das kannst du doch nicht machen!« oder sonst etwas Hilfreiches, aber Ferkel sagte nichts. Das lag daran, dass Ferkel sich wünschte, es wäre selbst zuerst darauf gekommen.

»Ich werde es tun«, sagte Pu, nachdem er noch etwas länger gewartet hatte, »und zwar mit Hilfe einer Falle, und es muss eine listige Falle sein; deshalb wirst du mir helfen müssen, Ferkel.«

»Pu«, sagte Ferkel, dem es jetzt wieder richtig gut ging, »ich werde dir helfen.« Und dann sagte es: »Wie werden wir es machen?«, und Pu sagte: »Das ist es nämlich. Wie?« Und dann setzten sie sich zusammen hin um es sich auszudenken.

Pus erste Idee war, dass sie eine sehr tiefe Grube graben sollten, und dann würde das Heffalump kommen und in die Grube fallen, und ...

»Warum?«, sagte Ferkel.

»Warum was?«, sagte Pu.

»Warum würde es hineinfallen?«

Pu rieb sich die Nase mit der Pfote und sagte, das Heffalump könnte vielleicht vorbeikommen, ein kleines Lied summen, den Himmel betrachten und sich fragen, ob es wohl regnen würde, und deshalb würde es die sehr tiefe Grube nicht sehen, bis es zur Hälfte hineingefallen sei, aber das wäre dann schon zu spät.

Ferkel sagte, das sei eine sehr gute Falle, aber angenommen, es regne bereits?

Pu rieb sich wieder die Nase und sagte, daran habe er nicht gedacht. Und dann besserte sich seine Laune und er sagte, dass das Heffalump, falls es bereits regne, den Himmel betrachten und sich fragen würde, ob es wohl bald wieder *aufklaren* würde, weshalb es die sehr tiefe Grube nicht sehen würde, bis es zur Hälfte hineingefallen wäre ... Und dann wäre es schon zu spät.

Ferkel sagte, jetzt, da dieser Punkt geklärt sei, finde es, die Falle sei sehr listig.

Pu war sehr stolz, als er das hörte, und er hatte das Gefühl, das Heffalump sei schon so gut wie gefangen, aber es gab noch etwas, worüber nachgedacht werden musste, und das

war dieses: *Wo sollten sie die sehr tiefe Grube graben?* Ferkel
sagte, der beste Platz sei irgendwo, wo ein Heffalump war,
bevor es hineinfiel, nur etwa dreißig Zentimeter weiter vorne.

»Aber dann würde es uns sehen, wenn wir die Grube graben«, sagte Pu.

»Nicht, wenn es den Himmel betrachtet.«

»Es würde Verdacht schöpfen«, sagte Pu, »wenn es zufällig
nach unten sieht.« Er dachte lange nach und fügte traurig
hinzu: »Es ist nicht so leicht, wie ich dachte. Ich vermute,
daran liegt es auch, dass Heffalumps kaum jemals gefangen
werden.«

»Daran muss es liegen«, sagte Ferkel.

Sie seufzten und standen auf, und als sie sich ein paar Stechginsterstacheln herausgezogen hatten, setzten sie sich wieder,
und die ganze Zeit sagte Pu zu sich selbst: »Wenn ich mir nur
etwas *ausdenken* könnte!« Denn er hatte das sichere Gefühl,
dass ein sehr scharfer Verstand ein Heffalump fangen könnte, wenn er nur wüsste, wie er dabei vorgehen sollte.

»Angenommen«, sagte er zu Ferkel, »*du* willst *mich* fangen,
wie würdest du das machen?«

»Tja«, sagte Ferkel, »ich würde es so machen: Ich würde eine
Falle bauen, und ich würde einen Topf Honig in die Falle
stellen, und du würdest den Honig riechen, und du würdest
in die Falle gehen, und ...«

»Und ich würde in die Falle gehen«, sagte Pu aufgeregt, »nur
natürlich sehr vorsichtig um mich nicht zu verletzen, und ich
würde den Honigtopf nehmen und zuallererst einmal um den
Rand herum lecken und so tun, als gäbe es nun keinen Honig
mehr, verstehst du, und dann würde ich weggehen und ein

bisschen darüber nachdenken, und dann würde ich zurückkommen und in der Mitte des Topfes lecken, und dann ...«
»Ja, schon gut. Da wärest du dann also und da würde ich dich dann auch fangen. Jetzt müssen wir als Erstes *dar*über nachdenken: Was mögen Heffalumps? Eicheln, würde ich meinen; was meinst du? Wir werden uns eine Menge ... Pu, wach doch mal auf!«

Pu, der in einen frohen Traum versunken war, wachte verdutzt auf und sagte, Honig sei viel fallenmäßiger als Heicheln. Ferkel war anderer Meinung und sie wollten sich gerade darüber streiten, als Ferkel einfiel, dass, wenn sie Eicheln in die Falle taten, *es*, Ferkel, die Eicheln finden musste, wenn sie dagegen Honig nahmen, musste sich Pu von Honig aus seinen eigenen Beständen trennen, und deshalb sagte es: »Na gut, Honig«, als Pu dies ebenfalls eingefallen war und gerade »Na

gut, Heicheln« sagen wollte.

»Honig«, sagte Ferkel nachdenklich vor sich hin, als wäre es jetzt beschlossene Sache. »*Ich* werde die Grube graben, während *du* nach Hause gehst und den Honig holst.«

»In Ordnung«, sagte Pu und stapfte davon.

Sobald er zu Hause angekommen war, ging er zum Küchenschrank, und er stellte sich auf einen Stuhl und holte einen sehr großen Honigtopf vom obersten Brett. Auf dem Topf stand HONICH, aber nur um ganz sicherzugehen entfernte er den Deckel aus

Papier und sah genau hin, und es *sah* genauso aus wie Honig. »Aber man kann ja nie wissen«, sagte Pu. »Ich weiß noch, wie mein Onkel einmal sagte, er habe Käse gesehen, der genau die gleiche Farbe hatte.« Also steckte er seine Zunge hinein und leckte einmal kräftig. »Ja«, sagte er, »es ist Honig. Gar kein Zweifel. Und zwar, würde ich sagen, bis ganz unten. Es sei denn, natürlich«, sagte er, »dass jemand  Käse unten hineingepackt hat, als kleinen Streich sozusagen. Vielleicht sollte ich noch ein *ganz* kleines bisschen weiterprobieren ... Nur für den Fall ... Für den Fall, dass Heffalumps Käse *nicht* mögen ... Genauso wenig wie ich ... Ah!« Und er stieß einen tiefen Seufzer aus. »Ich *hatte* Recht. Es *ist* Honig, bis ganz unten.«

Nachdem er sich davon überzeugt hatte, trug er den Topf zu Ferkel, und Ferkel sah vom Grunde seiner sehr tiefen Grube herauf und sagte: »Hast du ihn?«, und Pu sagte: »Ja, aber es ist kein ganz voller Topf«, und er warf ihn zu Ferkel hinunter, und Ferkel sagte: »Nein, das ist er nicht! Ist das alles, was du übrig gelassen hast?«, und Pu sagte: »Ja.« Denn so war es. Also stellte Ferkel den Topf auf den Boden der Grube und kletterte wieder heraus, und die beiden gingen zusammen nach Hause.

»Dann gute Nacht, Pu«, sagte Ferkel,

als sie zu Pus Wohnung kamen. »Und wir treffen uns morgen früh um sechs bei den Tannen und sehen, wie viele Heffalumps wir in unserer Falle haben.«

»Um sechs, Ferkel. Und hast du vielleicht Bindfaden?«

»Nein. Warum möchtest du Bindfaden?«

»Um sie damit nach Hause zu führen.«

»Oh! … Ich *denke* doch, Heffalumps kommen, wenn man pfeift.«

»Manche kommen und manche kommen nicht. Bei Heffalumps kann man nie wissen. Dann gute Nacht!«

»Gute Nacht!« Und Ferkel trabte zu seiner Wohnung BE-TRETEN V, während Pu seine Vorbereitungen für das Ins-Bett-Gehen traf.

Ein paar Stunden später, als die Nacht gerade anfing sich davonzustehlen, wachte Pu plötzlich mit einem Gefühl auf, als versinke er. Er hatte dies Gefühl des Sinkens schon vorher gehabt, und er wusste, was es bedeutete. *Er hatte Hunger.* Also ging er an den Speiseschrank und er stellte sich auf einen Stuhl und streckte sich, bis er das oberste Brett erreicht hatte, und fand – nichts.

Das ist seltsam, dachte er. Ich weiß, dass ich hier einen Topf mit Honig hatte. Einen vollen Topf, voller Honig bis ganz oben, und HONICH war draufgeschrieben, damit ich wusste, dass es Honig war. Das ist sehr seltsam. Und dann begann er auf und ab zu wandern und fragte sich, wo er geblieben war, und murmelte ein Gemurmel vor sich hin. Und das ging so:

»Dies ist ein echtes Rätsel mir;
Ich *weiß*, ich hatte Honig hier,
Mit einem Zettel, richtig fein,
Und HONICH draufgeschrieben.

Ein Riesentopf, voll bis zum Rand,
Und jetzt ist er mir durchgebrannt.
Wo kann er hingegangen sein?
Wo ist er nur geblieben?«

Er hatte sich dies so ähnlich wie einen Gesang dreimal vor-
gemurmelt, als es ihm plötzlich wieder einfiel. Er hatte ihn in
die listige Falle getragen um das Heffalump zu fangen.
»So ein Mist!«, sagte Pu. »Das kommt alles daher, dass man
versucht Heffalumps gut zu behandeln.« Und er ging zurück
ins Bett.
Aber er konnte nicht schlafen. Je mehr er zu schlafen versuchte, desto mehr konnte er nicht schlafen. Er versuchte
Schäfchen zu zählen, was manchmal eine gute Methode zum
Einschlafen ist, und als das nichts brachte, versuchte er Heffalumps zu zählen. Und das war noch schlimmer. Denn jedes

Heffalump, das er zählte, begab sich schnurstracks auf den Weg zu einem Topf mit Honig von Pu *und fraß ihn völlig leer*. So lag er einige Minuten lang und fühlte sich elend, aber als das fünfhundertsiebenundachtzigste Heffalump sich die Lefzen leckte und »Ganz köstlich, dieser Honig; erinnere mich nicht jemals besseren gefressen zu haben« sagte, konnte Pu es nicht mehr ertragen. Er sprang aus dem Bett, er rannte aus dem Haus, und er lief geradewegs zu den Sechs Tannen.

Die Sonne war noch im Bett, aber am Himmel über dem Hundertsechzig-Morgen-Wald war eine Helligkeit, die zu zeigen schien, dass die Sonne gerade aufwachte und bald aus dem Nachthemd steigen würde. Im Dämmerlicht sahen die Tannen kalt und einsam aus und die sehr tiefe Grube wirkte noch tiefer, als sie war, und Pus Honigtopf unten in der Grube war etwas Geheimnisvolles, eine Form und sonst gar nichts. Aber als er näher kam, sagte ihm seine Nase, dass es tatsächlich Honig war, und seine Zunge kam heraus und begann seinen Mund von außen zu polieren, damit alles bereit war.

»So ein Mist!«, sagte Pu, als er die Nase in den Topf steckte. »Ein Heffalump hat ihn aufgefressen!« Und dann dachte er ein bisschen und sagte: »Ach nein, *ich* war's. Glatt vergessen.«

Tatsächlich, er hatte den meisten Honig aufgegessen. Aber ganz unten am Boden des Topfes war noch ein bisschen übrig geblieben und er steckte seinen Kopf eilig hinein und fing an zu lecken …

Nach und nach wachte Ferkel auf. Sobald es wach war, sagte es: »Ach!« Dann sagte es tapfer: »Ja«, und dann, noch tapferer: »Aber genau.« Aber es fühlte sich nicht sehr tapfer, denn das Wort, das ihm eigentlich im Hirn herumhüpfte, war »Heffalumps«.

Wie war ein Heffalump?

War es wild?

Kam es, wenn man pfiff? Und *wie* kam es?

Konnte es Schweine überhaupt ausstehen?

Wenn es Schweine ausstehen konnte, war es dann wichtig, *welche Sorte Schwein* man war?

Angenommen, es benahm sich Schweinen gegenüber wild, war es dann wichtig, *wenn das Schwein einen Großvater namens BETRETEN VICTOR hatte?*

Ferkel wusste auf keine dieser Fragen eine Antwort ... Und in etwa einer Stunde sollte es sein erstes Heffalump zu sehen bekommen! Dann wäre natürlich Pu dabei und bei zwei Personen wäre es bestimmt viel freundlicher. Aber angenommen, das Heffalump benahm sich Schweinen *und* Bären gegenüber sehr wild? Wäre es dann nicht besser, Ferkel würde so tun, als hätte es Kopfschmerzen, weshalb es heute Morgen nicht zu den Sechs Tannen gehen könnte? Aber dann mal angenommen, es wäre ein sehr schöner Tag und es wäre kein Heffalump in der Falle, dann wäre Ferkel hier, den ganzen

Vormittag im Bett, und das Ganze wäre die schiere Zeitverschwendung. Was sollte es tun?

Und dann hatte Ferkel eine schlaue Idee. Es wollte jetzt ganz leise zu den Sechs Tannen gehen, einen ganz vorsichtigen, kurzen Blick in die Falle werfen und sehen, *ob* dort ein Heffalump war. Und wenn eins da war, wollte es zurück ins Bett, und wenn keins da war, wollte es nicht zurück ins Bett.

So brach Ferkel auf. Zuerst dachte es, dass kein Heffalump in der Falle war, und dann dachte es, dass eins drin war, und als es näher kam, war es *sicher*, dass eins drin war, denn es konnte hören, wie in der Grube ganz heftig geheffalumpt wurde.

»Owei, owei, owei!«, sagte sich Ferkel. Und es wollte wegrennen. Aber irgendwie, nachdem es jetzt dem Ziel so nahe war, fand es, dass es nun auch mal nachsehen musste, wie ein Heffalump aussah. Also kroch es an den Rand der Falle und schaute hinein …

Und die ganze Zeit hatte Winnie-der-Pu versucht den Honigtopf von seinem Kopf zu entfernen. Je mehr er daran rüttelte, desto fester saß er. »So *ein Mist!*«, sagte er im Topf und »*Hilfe!*«, und meistens »*Au!*«. Und er versuchte ihn gegen Sachen zu schmettern, aber da er nicht sehen konnte, wogegen er ihn schmetterte, half ihm das nichts, und er versuchte aus der Falle zu klettern, aber da er nichts außer Topf sehen konnte, und auch davon nicht viel, fand er nicht die richtige Richtung. Deshalb hob er

zum Schluss den Kopf, mit Topf und allem Drum und Dran, und stieß einen lauten Ton der Trauer und Verzweiflung aus … Und genau in diesem Moment kuckte Ferkel in die Grube. »Hilfe, Hilfe!«, schrie Ferkel. »Ein Heffalump, ein unheimliches Heffalump!« Und es hoppelte davon, so schnell es konnte, und es schrie immer noch: »Hilfe, Hilfe, ein unheffliches Heimalump! Heim, heim, ein heffunliches Hilfalump! Heff, heff, ein lumphässliches Limpfahump!« Und es hörte nicht auf zu schreien und zu hoppeln, bis es Christopher Robins Wohnung erreicht hatte.

»Was ist denn bloß los, Ferkel?«, sagte Christopher Robin, der gerade aufstand.

»Heff«, sagte Ferkel und atmete so schwer, dass es kaum sprechen konnte, »ein Heff – ein Heff – ein Heffalump.«

»Wo?«

»Da hinten«, sagte Ferkel und wedelte mit der Pfote.

»Wie hat es ausgesehen?«

»Wie ... Wie ... Es hatte den größten Kopf, den du je gesehen hast, Christopher Robin. Ein riesengroßes Ding, wie ... Wie nichts. Ein wahnsinnsgroßes ... Tja, wie ein ... Ich weiß nicht ... Wie ein wahnsinnsriesengroßes Garnichts. Wie ein Topf.«

»Dann«, sagte Christopher Robin und zog sich die Schuhe an, »werde ich mal hingehen und es mir ankucken. Komm mit.«

Ferkel hatte keine Angst, wenn Christopher Robin dabei war, und die beiden gingen los ...

»Ich kann es schon hören, kannst du es auch schon hören?«, sagte Ferkel besorgt, als sie näher kamen.

»*Irgend*was kann ich hören«, sagte Christopher Robin.

Es war Pu, der seinen Kopf gegen eine Baumwurzel schmetterte, die er gefunden hatte.

»Da!«, sagte Ferkel. »Ist es nicht *grässlich?*« Und es klammerte sich ganz fest an Christopher Robins Hand.

Plötzlich fing Christopher Robin an zu lachen ... Und er lachte ... und lachte ... und lachte. Und während er immer noch lachte, knallte *peng* der Kopf des Heffalumps gegen die Baumwurzel, *klirr* machte der Topf, und Pus Kopf kam wieder zum Vorschein.

Dann sah Ferkel, was für ein törichtes Ferkel es gewesen war, und es schämte sich so sehr, dass es auf dem kürzesten Wege nach Hause lief und sich mit Kopfschmerzen ins Bett legte.

Aber Christopher Robin und Pu gingen nach Hause um miteinander zu frühstücken.

»Ach, Bär!«, sagte Christopher Robin. »Wie sehr ich dich liebe!«

»Ich dich auch«, sagte Pu.

SECHSTES KAPITEL

In welchem I-Ah Geburtstag hat
und zwei Geschenke bekommt

I-Ah, der alte graue Esel, stand am Bach und betrachtete sich
im Wasser.

»Ein Bild des Jammers«, sagte er. »Genau. Ein Bild des Jammers.« Er drehte sich um und ging langsam zwanzig Meter
am Bach entlang, durchquerte ihn platschend und ging langsam auf der anderen Seite wieder zurück. Dann betrachtete
er sich wieder im Wasser.

»Wie ich mir gedacht hatte«, sagte er. »Von *dieser* Seite auch
nicht besser. Aber das stört niemanden. Es macht keinem was
aus. Ein Bild des Jammers, aber genau.«

Es raschelte im Farn hinter ihm und heraus kam Pu.

»Guten Morgen, I-Ah«, sagte Pu.

»Guten Morgen, Pu Bär«, sagte I-Ah düster. »Falls es ein
guter Morgen *ist*«, sagte er. »Was ich bezweifle«, sagte er.

»Warum, was ist denn los?«

»Nichts, Pu Bär, nichts. Nicht jeder kann es und mancher
lässt es ganz. Das ist der ganze Witz.«

»Nicht jeder kann *was?*«, sagte Pu und rieb sich die Nase.

»Frohsinn. Gesang und Tanz. Ringel Ringel Rosen. Darf ich
bitten, mein Fräulein.«

»Aha!«, sagte Pu. Er dachte lange nach und fragte dann:
»Was sind Ringelrosen?«

»Bonno-Mi«, fuhr I-Ah düster fort. »Französisches Wort;

bedeutet so viel wie Bonhomie«, erläuterte er. »Ich beklage mich ja gar nicht, aber so ist es nun mal.«

Pu setzte sich auf einen großen Stein und versuchte das Gehörte zu überdenken. Es kam ihm wie ein Rätsel vor, und bei Rätseln war er nie besonders gut gewesen, da er ein Bär von sehr geringem Verstand war. Deshalb sang er stattdessen *Fragen, Fragen, immer nur Fragen:*

»Fragen, Fragen, immer nur Fragen.
Es kann der Käfer den Specht nicht ertragen.
Gib mir ein Rätsel auf; ich werde sagen:
›*Da musst du jemand anders fragen.*‹«

Das war die erste Strophe. Als er damit fertig war, sagte I-Ah nicht, dass sie ihm nicht gefallen hatte; deshalb sang Pu ihm freundlicherweise die zweite Strophe vor:

»Fragen, Fragen, immer nur Fragen.
Ein Fisch kann nicht pfeifen und ich kann
nicht klagen.
Gib mir ein Rätsel auf; ich werde sagen:
›*Da musst du jemand anders fragen.*‹«

I-Ah sagte immer noch nichts; deshalb summte sich Pu die dritte Strophe leise selber vor:

»Fragen, Fragen, immer nur Fragen.
Unsichtbar wird der Honig im Magen.
Gib mir ein Rätsel auf; ich werde sagen:
>*Da musst du jemand anders fragen.*<«

»So ist's recht«, sagte I-Ah. »Sing nur. Tideldum und tideldei.
Nur einmal blüht im Jahr der Mai. Amüsier dich schön.«
»Das tu ich auch«, sagte Pu.
»Manche können das«, sagte I-Ah.
»Aber was ist denn bloß los?«
»*Ist* irgendwas los?«
»Du kommst mir so traurig vor, I-Ah.«
»Traurig? Warum sollte ich traurig sein? Ich habe Geburts-
tag. Der glücklichste Tag des Jahres.«
»Du hast Geburtstag?«, sagte Pu bass erstaunt.
»Natürlich. Sieht man das nicht? Kuck dir doch mal meine
vielen Geschenke an.« Er winkte mit einem Fuß von hier
nach da. »Kuck dir meinen Geburtstagskuchen an. Kerzen
und rosa Zucker.«
Pu kuckte – erst nach rechts und dann nach links. »Geschen-
ke?«, sagte Pu. »Geburtstagskuchen?«, sagte Pu. »*Wo?*«
»Kannst du sie nicht sehen?«
»Nein«, sagte Pu.
»Ich auch nicht«, sagte I-Ah. »Kleiner Scherz«, erläuterte er.
»Ha, ha!«
Pu kratzte sich am Kopf, denn all dies verwirrte ihn etwas.
»Aber hast du wirklich Geburtstag?«, fragte er.
»Ja.«
»Oh! Ja, dann herzliche Glückwünsche zum Geburtstag,
I-Ah!«

»Dir ebenfalls, Pu Bär.«

»Aber *ich* habe doch gar nicht Geburtstag.«

»Nein, aber ich.«

»Aber du hast gesagt: ›Dir eben ...‹«

»Warum auch nicht? Man möchte sich ja nicht immer nur an meinem Geburtstag elend fühlen, stimmt's?«

»Aha, verstehe«, sagte Pu.

»Es ist schon schlimm genug«, sagte I-Ah und brach fast zusammen, »wenn ich mich elend fühle, mit keinen Geschenken und keinem Kuchen und keinen Kerzen, und keiner nimmt richtig von mir Notiz, aber wenn sich alle anderen auch elend fühlen ...«

Dies war zu viel für Pu. »Bleib, wo du bist!«, rief er I-Ah zu, als er kehrtmachte und so schnell wie möglich nach Hause eilte; denn er spürte, dass er dem armen I-Ah sofort *irgend*ein Geschenk besorgen musste, und danach konnte er sich immer noch ein angemessenes Geschenk überlegen.

Vor seinem Haus fand er Ferkel, welches auf und ab sprang und versuchte den Türklopfer zu erreichen.

»Hallo, Ferkel«, sagte Pu.

»Hallo, Pu«, sagte Ferkel.

»Was versuchst *du* denn da?«

»Ich hatte versucht den Türklopfer zu erreichen«, sagte Ferkel. »Ich kam gerade vorbei und ...«

80

»Lass mich mal«, sagte Pu liebenswürdig. Er griff nach oben und klopfte an die Tür. »Ich habe gerade I-Ah gesehen«, begann er, »und der arme I-Ah ist in einem sehr traurigen Zustand, weil er heute Geburtstag hat, und niemand hat davon Notiz genommen, und er ist sehr düster – du weißt ja, wie I-Ah ist –, und da stand er nun, und ... Erstaunlich, wie lange Wer-auch-immer-hier-wohnt braucht um an die Tür zu gehen.« Und er klopfte noch einmal.

»Aber, Pu!«, sagte Ferkel. »Das ist doch dein Haus!«

»Oh!«, sagte Pu. »Mein Haus«, sagte er. »Dann wollen wir doch mal eintreten.«

Also traten sie ein. Als Erstes ging Pu an den Schrank um zu sehen, ob er noch einen ganz kleinen Topf Honig übrig hatte; er hatte noch einen und er nahm ihn aus dem Schrank.

»Dies werde ich I-Ah schenken«, erklärte er, »als Geschenk. Was wirst *du* ihm schenken?«

»Könnte ich es nicht mitschenken?«, sagte Ferkel. »Von uns beiden?«

»Nein«, sagte Pu. »Das wäre *kein* guter Plan.«

»Na gut, dann schenke ich ihm einen Ballon. Ich habe noch einen von meiner Party übrig. Ich gehe jetzt los und hole ihn, ja?«

»Das, Ferkel, ist eine *sehr* gute Idee. Das ist genau das, was sich I-Ah zur Aufheiterung wünscht. Niemand kann mit einem Ballon unaufgeheitert bleiben.«

Also trabte Ferkel davon; Pu ging in die andere Richtung mit seinem Honigtopf.

Es war ein warmer Tag und er hatte einen weiten Weg. Er hatte noch nicht mehr als die Hälfte des Weges zurückgelegt, als ein seltsames Gefühl überall an ihm herumzukriechen begann. Es fing an seiner Nasenspitze an, tröpfelte von oben bis unten durch ihn hindurch und durch die Fußsohlen wieder hinaus. Es war haargenau so, als würde jemand in seinem Inneren sagen: »So, Pu, Zeit für eine Kleinigkeit.«

»Oha«, sagte Pu, »ich wusste gar nicht, dass es schon so spät ist.« Also setzte er sich hin und nahm den Deckel vom Honigtopf. Nur gut, dass ich dies mitgenommen habe, dachte er. Viele Bären, die an so einem warmen Tag wie heute ausgehen, hätten nie daran gedacht, sich eine Kleinigkeit mitzunehmen. Und er begann zu essen.

Nun wollen wir mal sehen, dachte er, als er den Topf ein letztes Mal ausschleckte, wohin wollte ich? Ach ja, zu I-Ah. Er erhob sich langsam.

Und dann, plötzlich, fiel es ihm ein. Er hatte I-Ahs Geburtstagsgeschenk aufgegessen!

»*So ein Mist!*«, sagte Pu. »Was *soll* ich nur machen? Ich muss ihm *irgend*was schenken.«

Zunächst konnte er an gar nichts Passendes denken. Dann dachte er: Immerhin ist es ein sehr hübscher Topf, auch wenn kein Honig drin ist, und wenn ich ihn sauber auswasche und es schreibt mir jemand »*Herzlichen Glückwunsch zum*

Geburtstag« drauf, könnte I-Ah Sachen drin aufbewahren, und das könnte dann nützlich sein. Als er also gerade am Hundertsechzig-Morgen-Wald vorbeikam, bog er ab und ging in den Wald um Eule zu besuchen, die dort wohnte.

»Guten Morgen, Eule«, sagte er.

»Guten Morgen, Pu«, sagte Eule.

»Herzlichen Glückwunsch zu I-Ahs Geburtstag«, sagte Pu.

»Ach, heute issst I-Ahsss Geburtssstag?«

»Was schenkst du ihm, Eule?«

»Was schenkssst *du* ihm, Pu?«

»Ich schenke ihm einen nützlichen Topf, in dem er Sachen aufbewahren kann, und ich wollte dich fragen, ob ...«

»Issst er dasss?«, sagte Eule und nahm ihn Pu aus der Pfote.

»Ja, und ich wollte dich fragen, ob ...«

»Esss hat jemand Honig drin aufbewahrt«, sagte Eule.

»Man kann *alles* drin aufbewahren«, sagte Pu ernst. »Er ist nämlich sehr nützlich. Und ich wollte dich fragen, ob ...«

»Du solltessst ›*Herzzzlichen Glückwunsch zzzum Geburtssstag*‹ draufschreiben.«

»*Darum* wollte ich dich bitten«, sagte Pu. »Meine Rechtschreibung ist nämlich etwas wacklig. Sie ist eine gute Rechtschreibung, aber sie wackelt, und die Buchstaben geraten an den falschen Ort. Könntest *du* für mich ›*Herzlichen Glückwunsch zum Geburtstag*‹ draufschreiben?«

»Esss issst ein hübscher Topf«, sagte Eule und betrachtete ihn von allen Seiten. »Könnte ich ihn nicht mitschenken? Von unsss beiden?«

»Nein«, sagte Pu. »Das wäre *kein* guter Plan. Jetzt werde ich ihn zuerst auswaschen und dann kannst du draufschreiben.«

Er wusch also den Topf aus und trocknete ihn ab, während Eule an ihrem Bleistift leckte und sich fragte, wie man »Geburtstag« schreibt.

»Kannssst du lesen, Pu?«, fragte sie ein

wenig besorgt. »Ich habe draußßßen zzzwei Zzzettel, die sich mit Klopfen und Klingeln befasssssssen. Chrissstopher Robin hat sie geschrieben. Könntessst du sie lesen?«

»Christopher Robin hat mir gesagt, was draufsteht, und *dann* konnte ich sie lesen.«

»Gut, ich werde dir sagen, wasss *hier* draufsteht, und dann kannssst du esss auch lesen.«

Also schrieb Eule ... Und hier steht, was sie geschrieben hat:

HIRZ LERZ NUCKWNÜSCH UZM
BUBU BUGEBU BURZKAT.

Pu sah bewundernd zu.

»Ich schreibe nur gerade ›Herzzzlichen Glückwunsch‹«, sagte Eule leichthin.

»Das ist aber schön lang«, sagte Pu, der davon sehr beeindruckt war.

»Na ja, *in Wirklichkeit* schreibe ich ›Die allerherzzzlichssssten Glück- und Segensssswünsche zzzum Geburtssstag. In Liebe, dein Pu‹. Um so etwasss Langesss zzzu schreiben braucht man naturgemäßßß viel Bleistift.«

»Aha, verstehe«, sagte Pu.

Während all dies geschah, war Ferkel nach Hause gegangen um I-Ahs Ballon zu holen. Es drückte ihn ganz fest an sich, damit er nicht davongeweht wurde, und es lief, so schnell es konnte, damit es vor Pu bei I-Ah war; es dachte sich nämlich, dass es gern der Erste wäre, der ein Geschenk überreichte, als hätte es ganz von alleine dran gedacht. Und wie es so rannte und daran dachte, wie sehr sich I-Ah freuen würde, achtete es nicht auf den Weg ... Und plötzlich blieb es mit einem Fuß in einem Kaninchenloch stecken und fiel flach aufs Gesicht.

PENG !!! ??? *** !!!

So lag Ferkel da und fragte sich, was passiert war. Erst dachte es, die ganze Welt sei in die Luft geflogen; dann dachte es, dass vielleicht nur der Teil mit dem Wald in die Luft geflogen war; und dann dachte es, dass vielleicht nur *es selbst* in die Luft geflogen war, und nun war es ganz allein auf dem Mond oder sonst wo und würde Christopher Robin oder Pu oder I-Ah nie wieder sehen. Und dann dachte es: Selbst auf dem Mond braucht man nicht die ganze Zeit mit dem Gesicht auf dem Boden zu liegen, weshalb es vorsichtig aufstand und sich umsah.

Es war immer noch im Wald!

Das ist aber komisch, dachte es. Ich frage mich, was das für ein Knall war. Ich kann doch durch Hinfallen nicht so einen Krach gemacht haben. Und wo ist mein Ballon? Und was soll dieser kleine feuchte Fetzen?

Es war der Ballon.

»O weh«, sagte Ferkel. »O weh, owei, o weh und ach! Aber jetzt ist es zu spät. Ich kann nicht mehr zurück, und ich habe keinen Ballon mehr, und vielleicht *mag* I-Ah Ballons gar nicht so *sehr*.«

So trabte es weiter, nunmehr ziemlich traurig, und es kam zum Bach hinunter, wo I-Ah war.

»Guten Morgen, I-Ah«, rief Ferkel.

»Guten Morgen, kleines Ferkel«, sagte I-Ah. »Falls es ein guter Morgen ist«, sagte er. »Was ich bezweifle«, sagte er.

»Herzlichen Glückwunsch zum Geburtstag«, sagte Ferkel, welches nun näher gekommen war.

I-Ah hörte damit auf, sich im Bach zu betrachten, und machte eine Drehung um Ferkel anzustarren.

»Sag das noch mal«, sagte er.

»Herzlichen Glück …«

»Einen Augenblick, bitte.«

I-Ah versuchte, auf drei Beinen das Gleichgewicht zu halten, und begann das vierte Bein sehr vorsichtig bis an sein Ohr zu heben. »Gestern ging es noch«, erklärte er, als er zum dritten Mal hinfiel. »Es ist ganz leicht. Damit ich besser hören kann … Da, jetzt hat's geklappt! Ja, also, was sagtest du gerade?« Er drückte sein Ohr mit dem Huf nach vorn.

»Herzlichen Glückwunsch zum Geburtstag«, sagte Ferkel noch einmal.

»Meinst du mich?«

»Natürlich, I-Ah.«

»Und meinen Geburtstag?«

»Ja.«

»Ich soll einen echten Geburtstag haben?«

»Ja, I-Ah, und ich habe dir ein Geschenk mitgebracht.«

I-Ah nahm den rechten Huf von seinem rechten Ohr, drehte sich um und hob unter großen Schwierigkeiten den linken Huf.

»Das brauche ich auch noch mal ins andere Ohr«, sagte er.

»Also bitte.«

»Ein Geschenk«, sagte Ferkel sehr laut.

»Und du meinst wieder mich?«

»Ja.«

»Immer noch meinen Geburtstag?«

»Natürlich, I-Ah.«

»Und ich habe immer noch einen echten Geburtstag?«

»Ja, I-Ah, und ich habe dir einen Ballon mitgebracht.«

»*Ballon?*«, sagte I-Ah. »Hast du Ballon gesagt? Eins dieser großen bunten Dinger, die man aufbläst? Frohsinn, Gesang und Tanz, Ringel Ringel Rosen, Wechselschritt?«

»Ja, aber ich fürchte ... Es tut mir sehr Leid, I-Ah ... aber als ich hierher gerannt bin um ihn dir zu schenken, bin ich hingefallen.«

»Na, so ein Pech! Du bist zu schnell gelaufen, nehme ich an. Du hast dir doch nicht wehgetan, kleines Ferkel?«

»Nein, aber ich ... Ich ... Ich ... Ach, I-Ah, ich habe den Ballon kaputtgemacht!«

Lange war es ganz still.

»Meinen Ballon?«, sagte I-Ah schließlich.

Ferkel nickte.

»Meinen Geburtstagsballon?«

»Ja, I-Ah«, sagte Ferkel und schniefte leicht. »Hier ist er. Mit ... Mit einem herzlichen Glückwunsch zum Geburtstag.« Und es gab I-Ah den kleinen feuchten Fetzen.

»Ist es das?«, sagte I-Ah ein wenig überrascht.

Ferkel nickte.

»Mein Geschenk?«

Wieder nickte Ferkel.

»Der Ballon?«

»Ja.«

»Danke, Ferkel«, sagte I-Ah. »Es macht dir doch nichts aus, wenn ich dich etwas frage«, fuhr er fort, »aber welche Farbe hatte dieser Ballon, als er ... als er ein Ballon *war?*«

»Rot.«

»Ich wollte es nur wissen ... Rot«, murmelte I-Ah vor sich hin. »Meine Lieblingsfarbe ... Und wie groß war er?«

»Etwa so groß wie ich.«

»Ich wollte es nur wissen ... Etwa so groß wie Ferkel«, sagte er traurig vor sich hin. »Meine Lieblingsgröße. Nun ja.«

Ferkel fühlte sich sehr elend und wusste nicht, was es sagen sollte. Es hatte immer noch den Mund offen um einen Satz zu sagen, und dann beschloss es, dass *dieser* Satz nicht passte, und dann hörte es von der anderen Seite des Baches einen Ruf, und dort war Pu.

»Herzlichen Glückwunsch zum Geburtstag«, rief Pu und vergaß dabei, dass er das bereits gesagt hatte.

»Danke, Pu; die Feier ist in vollem Gange«, sagte I-Ah düster.

»Ich habe dir ein kleines Geschenk mitgebracht«, sagte Pu aufgeregt.

»Ich habe schon eins«, sagte I-Ah.

Pu war nun platschend durch den Bach zu I-Ah gekommen und Ferkel saß ein wenig abseits, den Kopf in den Pfoten, leise vor sich hin schniefend.

»Es ist ein nützlicher Topf«, sagte Pu. »Hier ist er. Und es steht ›Die allerherzlichsten Glück- und Segenswünsche zum Geburtstag. In Liebe, dein Pu‹ draufgeschrieben. Das bedeutet nämlich das ganze Geschriebene. Und man kann Sachen hineintun. Da!«

Als I-Ah den Topf sah, wurde er ganz aufgeregt.

»Nanu!«, sagte er. »Ich glaube, mein Ballon passt genau in diesen Topf!«

»Aber nein, I-Ah«, sagte Pu. »Ballons sind viel zu groß um in Töpfe zu passen. Mit Ballons macht man andere Sachen. Man hält sie an einer Schnur ...«

»Meinen nicht«, sagte I-Ah stolz. »Kuck mal, Ferkel!« Und als sich Ferkel traurig umsah, hob I-Ah den Ballon mit den Zähnen auf und legte ihn vorsichtig in den Topf; dann holte er ihn wieder heraus und legte ihn auf die Erde; dann hob er ihn wieder auf und legte ihn vorsichtig zurück in den Topf.

»Es klappt ja!«, sagte Pu. »Er passt hinein!«

»Es klappt ja!«, sagte Ferkel. »Und er geht auch wieder raus!«

»Etwa nicht?«, sagte I-Ah. »Er geht rein und raus wie sonst was.«

»Ich bin sehr froh darüber«, sagte Pu glücklich, »dass ich daran gedacht habe, dir einen nützlichen Topf zu schenken, in den man Sachen tun kann.«

»Ich bin sehr froh darüber«, sagte Ferkel glücklich, »dass ich daran gedacht habe, dir etwas zu schenken, was man in einen nützlichen Topf tun kann.«

Aber I-Ah hörte gar nicht hin. Er holte den Ballon heraus und steckte ihn wieder zurück, und er war so glücklich, wie man nur sein kann ...

»Und habe *ich* ihm nichts geschenkt«, fragte Christopher Robin traurig.

»Natürlich hast du ihm etwas geschenkt«, sagte ich. »Du hast ihm ... Weißt du nicht mehr? Du hast ihm – einen kleinen – einen kleinen ...«

»Ich habe ihm einen Malkasten geschenkt, damit er Sachen malen kann.«

»Genau.«

»Warum habe ich ihm den nicht schon morgens geschenkt?«

»Du hattest so viel mit den Vorbereitungen für seine Party zu tun. Er bekam eine Torte mit Zuckerguss und drei Kerzen, und auf der Torte stand sein Name in Rosa, und ...«

»Ja, *jetzt* weiß ich es wieder«, sagte Christopher Robin.

Siebtes Kapitel

In welchem Känga und Klein Ruh in den Wald kommen und Ferkel ein Bad nimmt

Niemand schien zu wissen, woher sie kamen, aber da waren sie nun, im Wald: Känga und Klein Ruh. Als Pu Christopher Robin fragte: »Wie sind sie hierher gekommen?«, sagte Christopher Robin: »Auf die übliche Weise, wenn du weißt, was ich meine, Pu«, und Pu, der nicht wusste, was Christopher Robin meinte, sagte: »Aha!« Dann nickte er zweimal mit dem Kopf und sagte: »Auf die übliche Weise. Soso!« Dann ging er um seinen Freund Ferkel zu besuchen und zu erfahren, was es davon hielt. Und bei Ferkel fand er Kaninchen. So sprachen sie gemeinsam darüber.

»Was mir daran nicht gefällt, ist Folgendes«, sagte Kaninchen. »Hier sind wir – du, Pu, und du, Ferkel, und ich – und plötzlich ...«

»Und I-Ah«, sagte Pu.

»Und I-Ah – und plötzlich ...«

»Und Eule«, sagte Pu.

»Und Eule – und dann, ganz plötzlich ...«

»Ach, und I-Ah«, sagte Pu. »*Ihn* hatte ich vergessen.«

»Hier. Sind. Wir«, sagte Kaninchen sehr langsam und betont. »Wir. Alle. Und dann, plötzlich, wachen wir eines Morgens auf und was finden wir? Wir finden ein fremdes Tier unter uns. Ein Tier, von dem wir nie auch nur gehört haben! Ein Tier, das seine Familie in der Tasche mit sich herumschleppt!

Angenommen, *ich* schleppte *meine* Familie in *meiner* Tasche mit mir herum – wie viele Taschen ich da wohl brauchte?«

»Sechzehn«, sagte Ferkel.

»Siebzehn, stimmt's?«, sagte Kaninchen. »Und noch eine für ein Taschentuch; das macht achtzehn. Ich *bitte* euch.«

Es trat eine lange, nachdenkliche Pause ein, und dann sagte Pu, der seit mehreren Minuten die Stirn heftig gerunzelt hatte: »Bei *mir* sind es fünfzehn.«

»Was?«, sagte Kaninchen.

»Fünfzehn.«

»Fünfzehn was?«

»Deine Familie.«

»Was ist mit meiner Familie?«

Pu rieb sich die Nase und sagte, er habe geglaubt, Kaninchen habe über seine Familie gesprochen.

»Tatsächlich?«, sagte Kaninchen zerstreut.

»Ja, du hast gesagt ...«

»Das ist doch ganz egal, Pu«, sagte Ferkel ungeduldig. »Die Frage ist: Was sollen wir mit Känga machen?«

»Ah, verstehe«, sagte Pu.

»Das Beste«, sagte Kaninchen, »wäre dies. Das Beste wäre Klein Ruh zu stehlen und es zu verstecken, und wenn dann Känga sagt: »Wo ist Klein Ruh?«, sagen wir: ›Aha!‹«

»*Aha!*«, sagte Pu zur Übung. »*Aha! Aha!* ... Wir könnten natürlich«, fuhr er fort, »auch ›Aha!‹ sagen, wenn wir Klein Ruh nicht gestohlen hätten.«

»Pu«, sagte Kaninchen freundlich, »du hast nicht den geringsten Verstand.«

»Ich weiß«, sagte Pu demütig.

»Wir sagen ›Aha!‹, damit Känga weiß, dass *wir* wissen, wo

Klein Ruh ist. ›*Aha!*‹ bedeutet: ›Wir werden dir sagen, wo Klein Ruh ist, wenn du uns versprichst, dass du aus dem Wald verschwindest und nie wiederkommst.‹ Jetzt redet nicht, während ich denke.«

Pu ging in eine Ecke und versuchte mit dieser speziellen Stimme ›Aha!‹ zu sagen. Manchmal kam es ihm so vor, als bedeute es das, was Kaninchen gesagt hatte, und manchmal kam es ihm nicht so vor. *Ich glaube, es liegt nur an der Übung,* dachte er. *Ich frage mich, ob Känga auch üben muss um es zu verstehen.*

»Nur eine Frage«, sagte Ferkel und zappelte ein bisschen. »Ich habe mit Christopher Robin gesprochen und er sagte, dass ein Känga im Allgemeinen als eins der wilderen Tiere angesehen wird. Ich habe zwar vor ganz normal wilden Tieren keine Angst, aber es ist wohl bekannt, dass eins der wilderen Tiere, wenn man es seines Jungen beraubt, so wild wird wie zwei der wilderen Tiere. In welchem Fall es vielleicht *dumm* wäre ›Aha!‹ zu sagen.«

»Ferkel«, sagte Kaninchen, zog einen Bleistift hervor und leckte ihn an, »du hast nicht den geringsten Mumm.«

»Es ist schwer, tapfer zu sein«, sagte Ferkel und schniefte leise, »wenn man nur ein sehr kleines Tier ist.«

Kaninchen, das eifrig zu schreiben begonnen hatte, blickte auf und sagte:

»Weil du ein sehr kleines Tier bist, wirst du in dem vor uns liegenden Abenteuer nützlich sein.«

Ferkel war bei dem Gedanken daran, nützlich zu sein, so aufgeregt, dass es vergaß weiter Angst zu haben, und als Kaninchen weitersprach und sagte, Kängas seien nur während der Wintermonate wild, sonst aber von zärtlicher Veranlagung, konnte es kaum noch still sitzen, so sehr brannte es darauf, sofort nützlich zu sein.

»Was ist mit mir?«, sagte Pu traurig. »*Ich* werde wohl nicht nützlich sein?«

»Macht nichts, Pu«, tröstete ihn Ferkel. »Vielleicht ein andermal.«

»Ohne Pu«, sagte Kaninchen, während es seinen Bleistift anspitzte, »wäre das Abenteuer unmöglich.«

»Ach!«, sagte Ferkel und versuchte nicht enttäuscht auszusehen. Aber Pu ging in eine Ecke des Zimmers und sagte stolz bei sich: »Unmöglich ohne mich! *Diese* Sorte Bär.«

»Jetzt hört mal alle zu«, sagte Kaninchen, als es fertig geschrieben hatte, und Pu und Ferkel hörten sehr aufmerksam mit offenem Mund zu. Dies ist der Text, den Kaninchen vorlas:

PLAN ZUR ENTFÜHRUNG VON KLEIN RUH

1. *Allgemeine Bemerkungen.* Känga läuft schneller als wir alle, sogar schneller als ich.
2. *Weitere allgemeine Bemerkungen.* Känga lässt Klein Ruh nie aus den Augen, außer wenn es sicher in ihre Tasche eingeknöpft ist.
3. *Deshalb.* Wenn wir Klein Ruh entführen wollen, brauchen wir Vorsprung, weil Känga schneller läuft als wir alle, sogar schneller als ich. *(Siehe 1).*
4. *Ein Gedanke.* Wenn Ruh aus Kängas Tasche heraus- und Ferkel hineingesprungen wäre, würde Känga den Unterschied nicht bemerken, da Ferkel ein sehr kleines Tier ist.
5. Wie Ruh.
6. Aber zuerst müsste Känga woandershin kucken, damit sie nicht sieht, wie Ferkel hineinspringt.
7. Siehe 2.
8. *Ein weiterer Gedanke.* Aber wenn Pu sehr aufgeregt mit ihr spräche, *könnte* sie vielleicht einen Moment lang woandershin kucken.
9. Und dann könnte ich mit Ruh wegrennen.
10. Schnell.
11. *Und Känga würde den Unterschied nicht bemerken. Erst danach.*

Stolz las Kaninchen dies vor, und nachdem es dies vorgelesen hatte, sagte längere Zeit niemand etwas. Und dann gelang es Ferkel, welches lautlos den Mund auf- und zugemacht hatte, zu sagen: »Und – danach?«

»Was willst du damit sagen?«

»Wenn Känga den Unterschied *bemerkt*.«

»Dann sagen wir alle: ›*Aha!*‹«

»Wir alle drei?«

»Ja.«

»Oh!«

»Was hast du denn noch für Bedenken, Ferkel?«

»Keine«, sagte Ferkel, »solange *wir alle drei* es sagen. Solange wir alle drei es sagen«, sagte Ferkel, »ist es mir recht«, sagte es, »aber es wäre mir gar nicht lieb, allein ›*Aha!*‹ zu sagen. Das würde sich *längst* nicht so gut anhören. Übrigens«, sagte es, »du bist dir doch ganz sicher mit dem, was du über die Wintermonate gesagt hast?«

»Die Wintermonate?«

»Ja, dass sie nur in den Wintermonaten wild sind.«

»Oh, ja, ja, damit hat es seine Richtigkeit. Nun, Pu? Du siehst, was du zu tun hast?«

»Nein«, sagte Pu Bär. »Noch nicht«, sagte er. »Was *tue* ich denn?«

»Du brauchst nur sehr heftig auf Känga einzureden, damit sie nichts bemerkt.«

»Ach! Worüber denn?«

»Worüber du willst.«

»Du meinst, ich soll ihr ein paar Verse aufsagen oder so?«

»Genau«, sagte Kaninchen. »Großartig. Und jetzt kommt mit.«

Also gingen sie alle los um Känga zu suchen.

Känga und Ruh verbrachten einen ruhigen Nachmittag an einer sandigen Stelle des Waldes. Klein Ruh übte sehr kleine Sprünge im Sand und fiel in Mauselöcher und kletterte wieder heraus, und Känga rannte unruhig auf und ab und sagte: »Nur noch ein Sprung, Liebling, und dann müssen wir nach Hause.« Und in diesem Augenblick kam kein anderer als Pu den Hügel heraufgestapft.

»Guten Tag, Känga.«

»Guten Tag, Pu.«

»Kuck mal, wie ich springe«, quietschte Ruh und fiel in ein weiteres Mauseloch.

»Hallo, Ruh, mein Kleines!«

»Wir wollten gerade nach Hause«, sagte Känga. »Guten Tag, Kaninchen. Guten Tag, Ferkel.«

Kaninchen und Ferkel, die jetzt von der anderen Seite des Hügels heraufgekommen waren, sagten »Guten Tag« und »Hallo, Ruh«, und Ruh bat sie ihm beim Springen zuzusehen; also blieben sie und sahen zu.

Und Känga sah ebenfalls zu ...

»Ach, Känga«, sagte Pu, nachdem Kaninchen ihm zweimal zugezwinkert hatte, »ich weiß nicht, ob du dich überhaupt für Verse interessierst.«

»Nicht nennenswert«, sagte Känga.

»Ach!«, sagte Pu.

»Ruh, mein Liebling, nur noch ein Sprung und dann müssen wir nach Hause.«

Es wurde kurz still, während Ruh in ein weiteres Mauseloch fiel.

»Weiter«, sagte Kaninchen laut flüsternd hinter der Pfote hervor.

»Da wir gerade über Verse sprechen«, sagte Pu, »ich habe mir auf dem Weg hierher etwas Kleines einfallen lassen. Es ging so. Äh ... Mal sehen ...«

»Wie schön!«, sagte Känga. »So, Ruh, mein Liebling ...«

»Diese Verse werden dir gefallen«, sagte Kaninchen.

»Du wirst sie lieben«, sagte Ferkel.

»Du musst sehr aufmerksam zuhören«, sagte Kaninchen.

»Damit du nichts verpasst«, sagte Ferkel.

»Aber ja«, sagte Känga, aber sie sah immer noch Ruh an.

»*Wie* ging es noch gleich, Pu?«, sagte Kaninchen.

Pu räusperte sich und fing an:

»ZEILEN, VON EINEM BÄREN MIT SEHR WENIG VERSTAND GESCHRIEBEN

Am Montag scheint die Sonne heiß.
Ich stelle mir die Frage:
Weiß ich es, dass ich dieses weiß?
Wie sieht sie aus, die Lage?

Am Dienstag hagelt es und schneit.
Erschaure, Mensch, und lies:
Es herrscht die große Unklarheit;
Ist dies das, jenes dies?

Am Mittwoch, wenn der Himmel blaut,
Ich alles schleifen lass
Und frag mich leise (oft auch laut):
Was ist wer und wo was?

Am Donnerstag das erste Eis
Als Reif auf Bäumen funkelt.
Da weiß ich, dass ich dieses weiß:
Wer? Was? Wie? Bis es dunkelt.

Am Freitag ...«

»Ja, nicht wahr?«, sagte Känga, die nicht darauf wartete,
was am Freitag passierte. »Nur noch ein Sprung, Ruh, Liebes, und dann *müssen* wir aber weg.«
Kaninchen versetzte Pu einen Wird's-bald-Stups.
»Da wir gerade von Versen sprechen«, sagte Pu schnell,
»hast du jemals den Baum dort drüben bemerkt?«
»Wo?«, sagte Känga. »Komm jetzt, Ruh ...«
»Genau da drüben«, sagte Pu und zeigte hinter Kängas Rücken.
»Nein«, sagte Känga. »Jetzt spring rein, Ruh, mein Liebling,
und dann gehen wir nach Hause.«
»Du solltest dir den Baum dort drüben ansehen«, sagte Ka-
ninchen. »Soll ich dich in den Beutel stecken, Ruh?«

Und es hob Ruh mit den Pfoten auf.

»Ich kann von hier aus einen Vogel auf dem Baum sehen«, sagte Pu. »Oder ist es ein Fisch?«

»Du müsstest von hier aus einen Vogel sehen können«, sagte Kaninchen. »Falls es kein Fisch ist.«

»Es ist kein Fisch, es ist ein Vogel«, sagte Ferkel.

»Stimmt«, sagte Kaninchen.

»Ist es ein Star oder eine Amsel?«, sagte Pu.

»Das ist die große Frage«, sagte Kaninchen. »Ist es eine Amsel oder ein Star?«

Und dann wandte Känga endlich den Kopf um nachzusehen. Und sobald sie den Kopf gewandt hatte, sagte Kaninchen mit lauter Stimme: »Hinein mit dir, Ruh!«, und Ferkel sprang in Kängas Tasche, und Kaninchen hoppelte mit Ruh in den Pfoten, so schnell es konnte, davon.

»Wo ist denn Kaninchen?«, sagte Känga, die sich wieder umgedreht hatte.

»Wie geht es dir, Ruh, mein Liebling?«

Ferkel machte ganz tief in Kängas Beutel ein quiekendes Ruh-Geräusch.

»Kaninchen musste fort«, sagte Pu. »Ich glaube, es hat an etwas gedacht, was es ganz plötzlich erledigen musste.«

»Und Ferkel?«

»Ich glaube, Ferkel hat zur selben Zeit an etwas gedacht. Ganz plötzlich.«

»Na, wir müssen jedenfalls nach Hause«, sagte Känga. »Lebe wohl, Pu.« Und mit drei großen Sprüngen war sie weg. Pu sah ihr nach.

Ich wäre froh, wenn ich auch so springen könnte, dachte er. Manche können es und manche können es nicht. So ist das nun mal.

Aber es gab Augenblicke, in denen Ferkel froh gewesen wäre, wenn Känga es nicht gekonnt hätte. Oft, wenn es auf dem langen Heimweg durch den Wald gewesen war, hatte es sich gewünscht ein Vogel zu sein, aber jetzt dachte es ruckartig tief unten in Kängas Beutel:

    dies   ich   daran

Wenn   Fliegen werde mich wirklich gewöhnen.

             ist,   nie

Und wenn es in die Luft ging, sagte Ferkel: »*Uuuuuuj!*«
Und wenn es wieder herunterkam, sagte Ferkel: »*Au!*« Und
auf dem ganzen Weg zu Kängas Wohnung sagte es:
»*Uuuuuuj-au, uuuuuuj-au, uuuuuuj-au!*«
Natürlich sah Känga sofort, als sie ihren Beutel aufknöpfte,
was geschehen war. Nur einen Augenblick lang dachte sie,
sie hätte Angst, aber dann wusste sie, dass sie keine Angst
hatte, denn sie war sicher, dass Christopher Robin nie zulas-
sen würde, dass Ruh etwas Böses geschähe. Also sagte sie
sich: »Wenn die sich mit mir einen Scherz erlauben wollen,
werde ich mir mit ihnen einen erlauben.«
»Also, Ruh, mein Liebes«, sagte sie, als sie Ferkel aus dem
Beutel holte. »Zeit ins Bett zu gehen.«
»*Aha!*«, sagte Ferkel, so gut es nach der entsetzlichen Reise
konnte. Aber es war kein sehr gutes »*Aha!*«, und Känga
schien nicht zu verstehen, was es bedeutete.
»Zuerst baden«, sagte Känga mit munterer Stimme.
»*Aha!*«, sagte Ferkel wieder und sah sich besorgt nach den
anderen um. Aber die anderen waren nicht da. Kaninchen
spielte bei sich zu Hause mit Klein Ruh und mochte das
kleine Tier. von Minute zu Minute lieber, und Pu, der beschlossen hatte ein Känga zu sein, war immer noch bei der
sandigen Stelle oben im Wald und übte Sprünge.

»Ich weiß gar nicht mal«, sagte Känga nachdenklich, »ob es nicht eine gute Idee wäre heute Abend ein *kaltes* Bad zu nehmen. Würde dir das gefallen, Ruh, mein Liebling?«
Ferkel, welches Bäder noch nie sonderlich gemocht hatte, schauderte lange empört und sagte dann mit so tapferer Stimme wie möglich:
»Känga, ich weiß, dass nun die Zeit für ein offenes Wort gekommen ist.«
»Klein Ruh, du bist komisch«, sagte Känga, als sie das Badewasser bereitete.
»Ich bin nicht Ruh«, sagte Ferkel laut. »Ich bin Ferkel!«
»Ja, mein Liebling, ja«, sagte Känga beruhigend. »Und dann machst du auch noch Ferkels Stimme nach! So ein schlauer Liebling«, fuhr sie fort, als sie ein großes Stück Kernseife aus dem Schrank nahm. »Was fällt dir bloß *noch* alles ein?«
»Kannst du nicht *sehen?*«, rief Ferkel. »Hast du keine *Augen?* Sieh mich *an!*«
»Ich *sehe* dich ja, Ruh, mein Liebling«, sagte Känga ziemlich

ernst. »Und du weißt, was ich dir gestern über Grimassen gesagt habe. Wenn du weiter ein Gesicht wie Ferkel machst, wirst du, wenn du groß bist, *aussehen* wie Ferkel – und stell dir nur mal vor, wie Leid dir *das* tun wird. Also, marsch in die Wanne, und jetzt möchte ich kein Wort mehr darüber verlieren müssen.«

Bevor es wusste, wie ihm geschah, war Ferkel in der Wanne und Känga schrubbte es heftig mit einem großen Waschlappen voller Seifenschaum.

»*Au!*«, schrie Ferkel. »Lass mich raus! Ich bin Ferkel!«

»Mach nicht den Mund auf, Liebes, sonst kommt Seife rein«, sagte Känga. »Da! Was hab ich dir gesagt?«

»Das … das … das hast du mit Absicht getan«, prustete Ferkel, sobald es wieder sprechen konnte, und dann bekam es zufällig einen weiteren Mundvoll Waschlappen mit Seifenschaum zu kosten.

»So ist es recht, Liebes, sag nichts«, sagte Känga, und im nächsten Augenblick wurde Ferkel aus der Wanne gehoben und mit einem Handtuch trocken gerubbelt.

»Jetzt«, sagte Känga, »kommt noch deine Medizin und dann geht's ins Bett.«

»W-w-was für eine Medizin?«, sagte Ferkel.

»Damit du groß und stark wirst, Liebling. Du willst doch nicht so klein und schwach werden wie Ferkel, stimmt's? Also los!«

In diesem Augenblick wurde an die Tür geklopft.

»Herein«, sagte Känga und Christopher Robin kam herein.

»Christopher Robin, Christopher Robin!«, schrie Ferkel.

»Sag Känga, wer ich bin! Sie behauptet ständig, ich wäre Ruh. Ich bin aber *nicht* Ruh, stimmt's?«

Christopher Robin sah Ferkel sehr sorgfältig an und schüttelte den Kopf.

»Du kannst nicht Ruh sein«, sagte er, »weil ich Ruh gerade in Kaninchens Wohnzimmer beim Spielen gesehen habe.«

»Soso!«, sagte Känga. »Sonderbar! Sehr sonderbar, dass mir ein solcher Fehler unterlaufen sein sollte.«

107

»Siehst du!«, sagte Ferkel. »Ich hab's dir doch gesagt. Ich bin Ferkel.«

Christopher Robin schüttelte wieder den Kopf.

»Du bist aber nicht Ferkel«, sagte er. »Ich kenne Ferkel gut, und es hat eine *ganz* andere Farbe.«

Ferkel wollte gerade sagen, das liege daran, dass es gerade gebadet habe, und dann dachte es, dass es dies vielleicht doch nicht sagen wollte, und als es den Mund aufmachte um etwas anderes zu sagen, stopfte ihm Känga den Löffel mit der Medizin hinein und klopfte ihm dann auf den Rücken und sagte, der Geschmack sei doch eigentlich recht angenehm, wenn man sich erst mal daran gewöhnt habe.

»Ich wusste doch, dass es nicht Ferkel sein kann«, sagte Känga. »Ich frage mich, *wer* es sein kann.«

»Vielleicht irgendein Verwandter von Pu«, sagte Christopher Robin. »Vielleicht ein Neffe oder Onkel oder so was?«

Känga gab ihm Recht und sagte, das sei es wahrscheinlich, und sagte, sie müssten es mit irgendeinem Namen anreden.

»Ich werde es Putel nennen«, sagte Christopher Robin. »Das ist die Abkürzung von Heinz Putel.«

Und gerade als dies beschlossene Sache war, schlängelte sich Heinz Putel aus Kängas Armen und sprang auf den Fußboden. Zu seiner großen Freude hatte Christopher Robin die Tür offen gelassen. Nie war Heinz Putel-Ferkel so schnell gerannt wie diesmal, und es hörte nicht auf zu rennen, bis es ganz nah bei seiner Wohnung war. Aber als es nur noch hundert Meter entfernt war, hörte es auf zu rennen und rollte den Rest des Weges nach Hause um wieder seine eigene Farbe zu bekommen ...

Also blieben Känga und Ruh im Wald. Und jeden Dienstag

verbrachte Ruh mit seinem großen Freund Kaninchen, und jeden Dienstag verbrachte Känga mit ihrem großen Freund Pu, indem sie ihm Springen beibrachte, und jeden Dienstag verbrachte Ferkel mit seinem großen Freund Christopher Robin. So waren sie alle wieder glücklich.

ACHTES KAPITEL

In welchem Christopher Robin
eine Expotition zum Nordpohl
leitet

Eines schönen Tages war Pu in den obersten Teil des Waldes
gestapft um zu sehen, ob sich Christopher Robin überhaupt
noch für Bären interessierte. Zum Frühstück an jenem Morgen (nur eine einfache Mahlzeit aus Orangenmarmelade,
dünn auf eine bis zwei Honigwaben gestrichen) war ihm
plötzlich ein neues Lied eingefallen. Es fing so an:

>>*Singt Ho! der Bär soll leben.*<<

Als er so weit gekommen war, kratzte er sich am Kopf und
dachte bei sich: Das ist ein sehr guter Anfang für ein Lied,
aber was ist mit der zweiten Zeile? Er versuchte zwei- bis
dreimal >>Ho<< zu singen, aber das schien auch nicht zu helfen. Vielleicht wäre es besser, dachte er, wenn ich >>Singt Hei!
der Bär soll leben<< sänge. Also sang er es ... Aber es war
nicht besser. >>Na gut<<, sagte er, >>ich werde diese erste Zeile
zweimal singen, und vielleicht, wenn ich sie sehr schnell singe, werde ich bemerken, dass ich die dritte und die vierte
Zeile singe, ohne vorher Zeit zu haben, über sie nachzudenken, und das ist dann ein gutes Lied. Also jetzt:

Singt Ho! der Bär soll leben!
Singt Ho! der Bär soll leben!
Es ist mir egal, ob Schnee oder Regen,
Meine Nase riecht Honig auf allen Wegen!
Es macht mir nichts aus, ob es schneit oder taut,
Denn ich hab mir die Pfoten mit Honig besaut!
Singt Ho! der Bär soll leben!
Singt Ho! leben soll Pu!
Er braucht einen kleinen Mundvoll ab und zu!«

Er war so zufrieden mit diesem Lied, dass er es den ganzen Weg über sang, bis ganz oben im Wald. Und wenn ich es noch sehr viel länger singe, dachte er, wird es Zeit für den kleinen Mundvoll, und dann stimmt die letzte Zeile nicht mehr, weil ich dann nicht ab und zu einen kleinen Mundvoll brauche, sondern sofort. Deshalb wandelte er den Gesang in ein Gesumm um.

Christopher Robin saß vor seiner Tür und zog sich gerade die großen Stiefel an. Sobald Pu die großen Stiefel sah, wusste er, dass ein Abenteuer passieren würde, und er strich sich mit dem Pfotenrücken den Honig von der Nase, und er putzte sich so gut wie möglich heraus um auszusehen, als wäre er zu allem bereit.

»Guten Morgen, Christopher Robin!«, rief er.

»Hallo, Pu Bär. Ich komme nicht in diesen Stiefel.«

»Das ist schlimm«, sagte Pu.

»Meinst du, du könntest dich freundlicherweise gegen mich lehnen, weil ich immer wieder so stark ziehe, dass ich immer wieder umfalle?«

Pu setzte sich, grub seine Füße in den Boden und drückte heftig gegen Christopher Robins Rücken, und Christopher Robin drückte heftig gegen Pus Rücken, und er zog und zog an seinem Stiefel, bis er ihn angezogen hatte.

»Das war das«, sagte Pu. »Was tun wir als Nächstes?«

»Wir gehen auf eine Expedition«, sagte Christopher Robin, als er aufstand und sich abbürstete. »Danke, Pu.«

»Auf eine Expotition?«, sagte Pu eifrig. »Ich glaube, auf so was war ich noch nie. Wohin müssen wir um auf diese Expotition zu kommen?«

»Expedition, dummer alter Bär. Da ist ein ›x‹ drin.«

»Ach!«, sagte Pu. »Ich weiß.« Aber das stimmte eigentlich gar nicht.

»Wir werden den Nordpohl entdecken.«

»Ach!«, sagte Pu wieder. »Was *ist* der Nordpohl?«, fragte er.

»Das ist eben etwas, was man entdeckt«, sagte Christopher Robin leichthin, denn genau wusste er es auch nicht.

»Ach! Verstehe«, sagte Pu. »Sind Bären gut im Entdecken?«

»Natürlich sind sie das. Und Kaninchen und Känga und ihr alle ebenfalls. Es ist eine Expedition. Das bedeutet Expedition. Alle, und zwar in einer langen Reihe. Sag schnell den anderen Bescheid, dass sie sich fertig machen, während ich mein Gewehr überprüfe. Und wir müssen alle Proviant mitbringen.«

»Was mitbringen?«

»Sachen zum Essen.«

»Ach!«, sagte Pu froh. »Ich dachte, du hättest ›Proviant‹ gesagt. Ich gehe hin und sage Bescheid.« Und er stapfte davon. Der Erste, den er traf, war Kaninchen.

»Hallo, Kaninchen«, sagte er, »bist du das?«

»Wir wollen mal so tun, als wäre ich es nicht«, sagte Kaninchen, »und sehen, was passiert.«

»Ich habe eine Nachricht für dich.«

»Ich werde sie weitergeben.«

»Wir gehen alle zusammen mit Christopher Robin auf eine Expotition!«

»Was ist es, wenn wir drauf sind?«

»Eine Art Boot, glaube ich«, sagte Pu.

»Ach, *die* Art!«

»Ja. Und wir werden einen Pohl oder so was Ähnliches entdecken. Oder war es eine Mole? Auf jeden Fall werden wir es entdecken.«

»Entdecken sollen wir das Ding?«, sagte Kaninchen.

»Ja. Und wir sollen Pro-Sachen zum Essen mitbringen. Falls wir sie essen wollen. Jetzt gehe ich weiter zu Ferkel. Und du sagst es Känga weiter, ja?«

Er verließ Kaninchen und ging eilig weiter zu Ferkel. Das Ferkel saß vor seiner Haustür auf der Erde, blies fröhlich in eine Pusteblume und fragte sich, ob es wohl in diesem Jahr sein würde, im nächsten Jahr, irgendwann oder nie. Es hatte gerade entdeckt, dass es nie sein würde, und versuchte, sich zu erinnern, was »es« war, und hoffte, dass es nichts Schönes war, als Pu erschien.

»Ach, Ferkel«, sagte Pu aufgeregt, »wir gehen auf eine Expotition, wir alle, mit Sachen zum Essen. Um etwas zu entdecken.«

»Um *was* zu entdecken?«, fragte Ferkel besorgt.

»Ach, irgendwas!«

»Nichts Wildes?«

»Von ›wild‹ hat Christopher Robin nichts gesagt. Er sagte nur, es hätte ein ›X‹.«

»Ihre X-Beine machen mir nichts aus«, sagte Ferkel ernst, »sondern ihre Zähne. Aber wenn Christopher Robin mitkommt, macht mir nichts was aus.«

Nach kurzer Zeit waren alle oben im Wald versammelt und die Expotition fing an. Zuerst kamen Christopher Robin und Kaninchen, dann Ferkel und Pu; dann Känga mit Ruh in ihrem Beutel und Eule; dann I-Ah; dann, zum Schluss, Kaninchens sämtliche Bekannten und Verwandten.

»Ich habe sie nicht dazugebeten«, erklärte Kaninchen leichthin. »Sie sind einfach so gekommen. Das tun sie immer. Sie können am Schluss marschieren, hinter I-Ah.«

»Ich kann nur sagen«, sagte I-Ah, »dass dies beunruhigend ist. Ich wollte gar nicht mitkommen auf diese Expo – was Pu gesagt hat. Ich bin nur gekommen um gefällig zu sein. Aber jetzt bin ich da, und wenn ich das Ende der Expo – wovon wir

gerade reden – sein soll, dann lasst mich auch das Ende *sein*. Aber wenn ich jedes Mal, wenn ich mich für eine kurze Verschnaufpause hinsetzen möchte, zuerst ein halbes Dutzend von Kaninchens kleineren Bekannten und Verwandten abbürsten muss, dann ist das in meinen Augen keine Expo – also das, was es ist – mehr, sondern ganz einfach heillose Verwirrung, noch dazu mit Lärm verbunden. Mehr kann *ich* dazu nicht sagen.«

»Ich verstehe, wasss I-Ah meint«, sagte Eule. »Wenn ihr mich fragt …«

»Ich frage niemanden nach seiner Meinung«, sagte I-Ah, »ich sage lediglich jedem meine Meinung. Wir können den Nordpohl suchen oder wir können ›Ringel Ringel Rosen‹ auf einem Ameisenhaufen tanzen. Ist mir eins so lieb wie das andere.«

Von ganz vorne ertönte ein Ruf.

»Wird's bald?«, rief Christopher Robin.

»Wird's bald?«, riefen Pu und Ferkel.

»Wird'sss bald?«, rief Eule.

»Wir starten«, sagte Kaninchen. »Ich muss los.« Und es hoppelte eilig an die Spitze der Expotition zu Christopher Robin.

»Na schön«, sagte I-Ah. »Es geht los. Aber macht mir nachher keine Vorwürfe.«

Also gingen sie alle los um den Pohl zu entdecken. Und wie sie so gingen, schwatzten sie miteinander über dies und das, alle außer Pu, der gerade ein Lied dichtete.

»Dies ist die erste Strophe«, sagte er zu Ferkel, als er damit fertig war.

»Die erste Strophe wovon?«

»Von meinem Lied.«

»Von welchem Lied?«

»Von diesem.«

»Von welchem?«

»Wenn du zuhörst, Ferkel, wirst du es hören.«

»Wer sagt denn, dass ich nicht zuhöre?«

Darauf wusste Pu keine Antwort; also fing er an zu singen.

> »Sie zogen aus den Pohl zu entdecken,
>   Eule und Ferkel und Kaninchen und alle;
> ›Einen Pohl muss man suchen und nicht verstecken‹,
>   Sagen Eule, Ferkel, Kaninchen und alle.
> I-Ah, Christopher Robin und Pu,
> Kaninchens Verwandte auch noch dazu …
> Gibt es den Pohl? Oder ist er nur Schmu?
> Hurra! für Eule, Kaninchen und alle!«

»Pst!«, sagte Christopher Robin und drehte sich zu Pu um. »Wir kommen gerade an eine gefährliche Stelle.«

»Pst!«, sagte Pu und drehte sich schnell zu Ferkel um.

»Pst!«, sagte Ferkel zu Känga.

»Pst!«, sagte Känga zu Eule, während Ruh mehrmals sehr leise »Pst!« zu sich selbst sagte.

»Pssssst!«, sagte Eule zu I-Ah.

»*Pst!*«, sagte I-Ah mit einer schrecklichen Stimme zu Kaninchens sämtlichen Bekannten und Verwandten, und »Pst!«, sagten sie der Reihe nach bis ganz hinten zueinander, bis es den Allerletzten erreicht hatte. Und der letzte und kleinste Bekannte und Verwandte war so erschüttert davon, dass die gesamte Expotition »Pst!« zu *ihm* sagte, dass er sich mit dem Kopf nach unten in einer Spalte im Boden vergrub und zwei Tage dort blieb, bis die Gefahr vorüber war, und dann in großer Eile nach Hause ging und mit seiner Tante ein stilles Leben führte, und wenn er nicht gestorben ist, dann lebt er heute noch. Er hieß Alexander Käfer.

Sie waren an einen Bach gekommen, der sich zwischen hohen, felsigen Ufern schlängelte und tummelte, und Christopher Robin sah sofort, wie gefährlich es war.

»Das ist genau der Ort«, erläuterte er, »für einen Hinterhalt.«

»Was für ein Wald?«, flüsterte Pu Ferkel zu. »Ein Ginsterwald?«

»Mein lieber Pu«, sagte Eule in ihrer überlegenen Art, »weißßßt du etwa nicht, wasss ein Hinterhalt issst?«

»Eule«, sagte Ferkel und sah sich ernst nach ihr um, »Pus Geflüster war ein streng vertrauliches Geflüster und es bestand kein Grund ...«

»Ein Hinterhalt«, sagte Eule, »issst eine Art Überraschung.«

»Das ist ein Stechginsterwald auch manchmal«, sagte Pu.

»Ein Hinterhalt, wie ich Pu gerade erklären wollte«, sagte Ferkel, »ist eine Art Überraschung.«

»Wenn sich plötzzzlich Leute auf einen stürzzzen – dasss issst ein Hinterhalt«, sagte Eule.

»Ein Hinterhalt ist es, Pu, wenn sich plötzlich Leute auf dich stürzen«, erklärte Ferkel.

Pu, der jetzt wusste, was ein Hinterhalt war, sagte, ein Stechginsterbusch habe sich eines Tages ganz plötzlich auf ihn gestürzt, als er von einem Baum gefallen sei, und er habe sechs Tage gebraucht, bis er alle Stacheln aus sich herausgezogen hatte.

»Wir *sprechen* aber gar nicht über Stechginsssster«, sagte Eule etwas übellaunig.

»Ich aber«, sagte Pu.

Sie stiegen nun sehr vorsichtig bachaufwärts weiter, von Felsen zu Felsen, und nachdem sie ein kleines Stück Weges zurückgelegt hatten, kamen sie an eine Stelle, auf der die Uferstreifen zu beiden Seiten breiter wurden, und etwas Gras gab es dort auch, sodass sie sich setzen und ausruhen konnten.

Sobald sie diese Stelle sahen, rief Christopher Robin: »Halt!«, und alle setzten sich und verschnauften.

»Ich glaube«, sagte Christopher Robin, »wir sollten jetzt unseren Proviant aufessen, damit wir nicht so viel zu tragen haben.«

»Unseren gesamten was aufessen?«, fragte Pu.

»Alles, was wir mitgebracht haben«, sagte Ferkel und machte sich an die Arbeit.

»Das ist eine gute Idee«, sagte Pu und machte sich ebenfalls an die Arbeit.

»Habt ihr alle etwas?«, fragte Christopher Robin mit vollem Mund.

»Alle außer mir«, sagte I-Ah. »Wie üblich.« Er sah sich verbittert nach ihnen um. »Ich vermute, keiner von euch sitzt zufällig auf einer Distel?«

»Ich glaube, ich«, sagte Pu. »Au!« Er stand auf und blickte hinter sich. »Ja, ich habe auf einer Distel gesessen. Hatte ich's mir doch gedacht.«

»Danke, Pu. Wenn du sie nicht mehr brauchst ...« I-Ah ging dorthin, wo Pu gesessen hatte, und begann seine Mahlzeit.

»Davon werden sie nämlich nicht besser, wenn man auf

ihnen sitzt«, fuhr er fort, als er kauend den Kopf hob. »Das nimmt ihnen die ganze Frische. Denkt nächstes Mal daran, ihr alle. Ein bisschen Rücksicht, auch mal ein bisschen an andere denken – und gleich sieht alles ganz anders aus.«

Sobald er mit seinem Mittagessen fertig war, flüsterte Christopher Robin Kaninchen etwas zu und Kaninchen sagte: »Ja, ja, natürlich«, und die beiden gingen zusammen ein kleines Stück den Bach hinauf.

»Ich wollte nicht, dass die anderen es hören«, sagte Christopher Robin.

»Völlig klar«, sagte Kaninchen und sah wichtig aus.

»Es ist nur ... Ich habe mich gefragt ... Es geht nur darum, dass ... Kaninchen, ich glaube, *du* weißt es auch nicht. *Wie* sieht der Nordpohl aus?«

»Tja«, sagte Kaninchen und strich sich den Schnurrbart, »das fragst du mich *jetzt*.«

»Ich wusste es mal, ich habe es nur irgendwie vergessen«, sagte Christopher Robin leichthin.

»Das ist merkwürdig«, sagte Kaninchen, »aber ich habe es auch vergessen, obwohl ich es mal gewusst *habe*.«

»Ich nehme an, er ist einfach ein Pfahl oder Pohl oder so, der irgendwie im Boden steckt, oder?«

»Bestimmt ist er ein Pfahl«, sagte Kaninchen, »sonst würde man ihn ja nicht einen Pohl nennen und wenn er ein Pohl ist, dann würde ich doch annehmen, dass er im Boden steckt, meinst du nicht auch, denn wo soll man ihn sonst reinstecken.«

»Ja, das habe ich mir auch gedacht.«

»Das Einzige, was wir jetzt noch wissen müssen«, sagte Kaninchen, »ist Folgendes: *Wo steckt er?*«

»Das suchen wir ja gerade«, sagte Christopher Robin.
Sie gingen zurück zu den anderen. Ferkel lag auf dem Rücken und schlief friedlich. Ruh wusch sich Gesicht und Pfoten im Bach, während Känga jedem stolz erklärte, dass Ruh sich heute zum ersten Mal selbst das Gesicht wusch, und Eule erzählte Känga eine interessante Anekdote voll langer Wörter wie Enzyklopädie und Rhododendron, welcher Känga nicht zuhörte.

»Ich halte nichts von dieser ganzen Wascherei«, murrte I-Ah. »Dieser moderne Hinter-den-Ohren-Unsinn. Was meinst *du*, Pu?«

»Tja«, sagte Pu, »*ich* meine ...«

Aber wir werden nie erfahren, was Pu meinte, denn nacheinander kamen ein plötzliches Quieken und ein Platschen von Ruh und ein lauter Alarmschrei von Känga.

»So viel zum Thema *Waschen*«, sagte I-Ah.

»Ruh ist ins Wasser gefallen!«, schrie Kaninchen und kam zusammen mit Christopher Robin zur Rettung angerannt.

»Seht mal, wie ich schwimme!«, quiekte Ruh mitten in seinem kleinen Teich und wurde einen Wasserfall hinunter und in den nächsten Teich gerissen.

»Geht es dir gut, Ruh, mein Liebling?«, rief Känga ängstlich.

»Ja!«, sagte Ruh. »Seht mal, wie ich schw ...« Und mit dem nächsten Wasserfall ging es hinunter in den nächsten kleinen Teich.

Jeder unternahm etwas um zu helfen. Ferkel, plötzlich hellwach, hüpfte auf und ab und machte Geräusche, die sich wie »Oha aber auch« anhörten; Eule erklärte, dass es in einem Fall unvermittelten und vorübergehenden Eintauchens ins Wasser von größter Wichtigkeit sei, den Kopf über demsel-

ben zu halten; Känga sprang am Bach entlang und sagte:
»Bist du *sicher*, dass es dir gut geht, Ruh, mein Liebling?«,
worauf Ruh, aus dem kleinen Teich, in dem es gerade war,
antwortete: »Seht mal, wie ich schwimme!« I-Ah hatte sich
umgedreht und seinen Schwanz in den ersten Teich gehängt,
in den, in welchen Ruh gefallen war, und mit dem Rücken
zum Schauplatz des Unfalls grummelte er leise vor sich hin:
»Immer diese Wascherei; aber halt dich einfach an meinem
Schwanz fest, Klein Ruh, dann kann dir gar nichts passieren«, und Christopher Robin und Kaninchen stürmten an
I-Ah vorbei und riefen den anderen vor ihnen Nützliches zu.
»Schon gut, Ruh, ich komme«, rief Christopher Robin.
»Legt weiter unten irgendwas Langes über den Bach, ihr Bur-
schen«, rief Kaninchen.

Aber Pu holte bereits etwas. Zwei Teiche unter Ruh stand er mit einem langen Pfahl in den Pfoten, und Känga nahm am anderen Ufer das andere Ende, und sie hielten den Pfahl zwischen sich über den unteren Teil des Teiches, und Ruh, das immer noch stolz »Seht mal, wie ich schwimmen kann« blubberte, trieb gegen den Pfahl und kletterte aus dem Wasser.

»Habt ihr gesehen, wie ich geschwommen bin?«, quiekte Ruh aufgeregt, während es von Känga ausgeschimpft und abgetrocknet wurde. »Pu, hast du gesehen, wie ich geschwommen bin? Das nennt man nämlich Schwimmen, was ich gerade getan habe. Kaninchen, hast du gesehen, was ich gemacht habe? Ich bin geschwommen. Hallo, Ferkel! Ferkel, hörst du mich? Rate mal, was ich gerade getan habe! Geschwommen bin ich! Christopher Robin, hast du gesehen, wie ich ...«

Aber Christopher Robin hörte nicht zu. Er sah Pu an.

»Pu«, sagte er, »wo hast du diesen Pfahl gefunden?«

Pu betrachtete den Pfahl in seinen Händen.

»Ich habe ihn gerade gefunden«, sagte er. »Ich dachte, er könnte vielleicht nützlich sein. Ich habe ihn einfach aufgehoben.«

»Pu«, sagte Christopher Robin feierlich, »die Expedition ist vorbei. Du hast den Nordpohl gefunden!«

»Ach!«, sagte Pu.

I-Ah saß am Ufer und hielt den Schwanz ins Wasser, als alle zu ihm zurückkehrten.

»Kann jemand mal Ruh sagen, dass es sich beeilen soll«, sagte er. »Mein Schwanz wird kalt. Ich will es ja gar nicht erwähnen, aber ich erwähne es nur. Ich will mich nicht beklagen, aber so ist es nun mal. Mein Schwanz wird kalt.«

»Hier bin ich!«, quiekte Ruh.

»Ach, da bist du ja.«

»Hast du gesehen, wie ich geschwommen bin?«

I-Ah zog den Schwanz aus dem Wasser und schwenkte ihn von links nach rechts.

»Wie ich erwartet hatte«, sagte er. »Kein Gefühl mehr drin. Völlig abgestorben. Genau das ist nämlich passiert. Abgestorben. Na ja, solange das niemanden stört, ist es wohl auch nicht weiter schlimm.«

»Armer alter I-Ah! Ich trockne ihn dir ab«, sagte Christopher Robin, nahm sein Taschentuch und rubbelte ihn ab.

»Danke, Christopher Robin. Du bist der Einzige, der etwas von Schwänzen zu verstehen scheint. Die anderen denken nicht; so sieht es nämlich bei manchen aus. Sie haben keine Phantasie. Für *sie* ist ein Schwanz kein Schwanz, sondern nur eine kleine Zugabe hinten am Rücken.«

»Lass sie doch, I-Ah«, sagte Christopher Robin und rubbelte, so stark er konnte. »Ist *das* besser?«

»Es fühlt sich vielleicht mehr wie ein Schwanz an. Es gehört wieder dazu, falls du weißt, was ich meine.«

»Hallo, I-Ah«, sagte Pu, der mit seinem Pfahl zu ihnen kam.

»Hallo, Pu. Danke der Nachfrage, aber in ein bis zwei Tagen werde ich ihn wieder benutzen können.«

»Was benutzen?«

»Das, worüber wir gerade reden.«

»Ich habe über gar nichts geredet«, sagte Pu und sah verdutzt aus.

»Wieder mein Fehler. Ich dachte, du hättest gesagt, wie Leid dir die Sache mit meinem Schwanz tut, dass er völlig abgestorben ist, und ob du vielleicht irgendwie behilflich sein könntest.«

»Nein«, sagte Pu. »Das war ich nicht«, sagte er. Er dachte ein bisschen nach und schlug dann hilfsbereit vor: »Vielleicht war es jemand anderes.«

»Na, dann richte ihm einen schönen Dank von mir aus, wenn du ihn siehst.«

Pu sah Christopher Robin besorgt an.

»Pu hat den Nordpohl gefunden«, sagte Christopher Robin. »Ist das nicht wunderschön?«

Pu sah bescheiden zu Boden.

»Ist er das?«, sagte I-Ah.

»Ja«, sagte Christopher Robin.

»Das, was wir gesucht haben?«

»Ja«, sagte Pu.

»Ach!«, sagte I-Ah. »Na … Jedenfalls hat es nicht geregnet«, sagte er.

Sie steckten den Pfahl in den Boden und Christopher Robin befestigte eine Botschaft daran:

NOTPOHL
ENDTEGT VOHN
PU
PU had in
gefuhnden

Dann gingen sie alle wieder nach Hause. Und ich glaube, aber ich weiß es nicht genau, dass Ruh ein heißes Bad genommen hat und dann sofort ins Bett gegangen ist. Aber Pu ging in sein eigenes Haus, und da er sehr stolz war auf das, was er getan hatte, nahm er noch eine Kleinigkeit zu sich um wieder zu Kräften zu kommen.

NEUNTES KAPITIEL

In welchem Ferkel völlig von Wasser umgeben ist

Es regnete und regnete. Ferkel sagte sich, dass es in seinem ganzen Leben noch nie – und es, Ferkel, war nun wirklich weiß Gott wie alt – drei, oder? Oder vier? – so viel Regen gesehen hatte. Tage-, tage-, tagelang.

Wenn ich doch, dachte es, als es aus dem Fenster blickte, in Pus Wohnung gewesen wäre oder in Christopher Robins Wohnung oder in Kaninchens Wohnung, als es anfing zu regnen, dann hätte ich die ganze Zeit Gesellschaft gehabt, anstatt hier ganz allein zu sein und nichts zu tun zu haben als mich zu fragen, wann es wieder aufhört. Und es stellte sich selbst zusammen mit Pu vor, wie es sagte: »Hast du jemals einen solchen Regen gesehen, Pu?«, und wie Pu sagte: »Ist es nicht *grässlich*, Ferkel?«, und wie Ferkel sagte: »Wie es wohl bei Christopher Robin aussieht?«, und wie Pu sagte: »Ich möchte annehmen, dass das arme, alte Kaninchen inzwischen völlig überflutet ist.« Es wäre richtig schön gewesen so reden zu können, und es hatte ja auch wirklich nicht viel Sinn, etwas so Aufregendes wie eine Überschwemmung zu erleben, wenn man es mit niemandem teilen konnte.

Denn es war ziemlich aufregend. Die kleinen trockenen Gräben, in denen Ferkel so oft herumgeschnüffelt hatte, waren zu Bächen geworden; die kleinen Bäche, in denen es geplantscht hatte, waren jetzt Flüsse; und der Fluss, an dessen steilen Ufern sie so froh gespielt hatten, hatte flegelhaft sein

Bett verlassen und beanspruchte überall so viel Platz, dass Ferkel sich allmählich fragte, ob er wohl bald auch in *sein*, Ferkels, Bett kommen würde.

»Es ist ein bisschen beängstigend«, sagte es sich, »ein sehr kleines Tier zu sein, das völlig von Wasser umgeben ist. Christopher Robin und Pu könnten entkommen, indem sie auf Bäume klettern, und Känga könnte entkommen, indem sie springt, und Kaninchen könnte durch Buddeln entkommen, und Eule könnte durch Fliegen entkommen, und I-Ah könnte dadurch entkommen, dass er ... dass er lauten Lärm macht, bis er gerettet wird, und hier bin ich, von Wasser umgeben, und ich kann *gar nichts* tun.«

Es regnete weiter, und jeden Tag stieg das Wasser ein bisschen, und jetzt hatte es schon fast Ferkels Fenster erreicht, und Ferkel hatte immer noch nichts unternommen.

Zum Beispiel Pu, dachte es. Pu hat nicht viel Verstand, aber ihm stößt nie etwas zu. Er tut das Falsche und das stellt sich dann als das Richtige heraus. Oder Eule. Eule hat zwar nicht gerade Verstand, aber sie weiß Sachen. Sie wüsste, was man tun müsste, wenn man von Wasser umgeben ist. Oder Kaninchen. Kaninchen hat nichts aus Büchern gelernt, aber es kann sich immer einen schlauen Plan ausdenken. Oder Känga. Sie ist nicht schlau, Känga schon gar nicht, aber sie würde sich solche Sorgen um Ruh machen, dass sie wüsste, was man tun muss ohne darüber nachzudenken. Und dann gibt es noch I-Ah. Und I-Ah geht es sowieso so lausig, dass ihm dies auch nichts mehr ausmachen würde. Aber ich wüsste gern, was Christopher Robin jetzt täte.

Dann fiel ihm plötzlich eine Geschichte ein, die ihm Christopher Robin über einen Mann erzählt hatte, der auf einer

einsamen Insel war und etwas in eine Flasche geschrieben und die Flasche ins Meer geworfen hatte; und Ferkel dachte, wenn es etwas in eine Flasche schriebe und sie ins Wasser würfe, käme vielleicht einer und würde *es* retten!

Ferkel verließ das Fenster und begann seine Wohnung abzusuchen, soweit sie noch nicht unter Wasser stand, und schließlich fand es einen Bleistift und ein kleines Stück trockenes Papier und eine Flasche mit einem Korken, der auf die Flasche passte. Und auf die eine Seite des Zettels schrieb es:

HILFE!
PFERKL (ICH)
und auf die andere Seite:

ICH BINS PFERKL, HILFE HILFE!

Dann steckte es den Zettel in die Flasche und verkorkte die Flasche, so fest es konnte, und beugte sich aus dem Fenster, so weit es konnte ohne ins Wasser zu fallen, und warf die Flasche, so weit es konnte – *platsch!* –, und nach kurzer Zeit tauchte sie wieder auf, und es beobachtete, wie sie langsam in die Ferne davontrieb, bis seine Augen vom Beobachten schmerzten, und manchmal glaubte Ferkel, es sei die Flasche, und manchmal glaubte es, es sei nur eine kleine Welle, der es mit seinen Blicken folgte, und dann wusste es plötzlich, dass es die Flasche nie wieder sehen würde und dass es alles getan hatte, was in seiner Macht stand, um sich zu retten.

Also jetzt, dachte es, muss ein anderer etwas unternehmen, und ich hoffe, er tut es schnell, denn wenn er das nicht tut, muss ich schwimmen, und das kann ich nicht, und deshalb hoffe ich, er tut es bald. Und dann seufzte es sehr lange und sagte: »Wenn doch Pu nur hier wäre. Zu zweit ist es viel angenehmer.«

Als es anfing zu regnen, schlief Pu. Es regnete und regnete und regnete, und er schlief und schlief und schlief. Er hatte einen sehr anstrengenden Tag gehabt. Du weißt ja noch, wie er den Nordpohl entdeckt hatte; ja, und darauf war er so stolz gewesen, dass er Christopher Robin gefragt hatte, ob es noch weitere Pohle gab, die zum Beispiel ein Bär von sehr wenig Verstand entdecken konnte.

»Es gibt einen Südpohl«, sagte Christopher Robin, »und ich nehme an, dass es auch einen Ostpohl und einen Westpohl gibt, obwohl man allgemein nicht gern über sie spricht.«

Pu war sehr aufgeregt, als er das hörte, und schlug eine Expotition zur Entdeckung des Ostpohls vor, aber Christopher Robin hatte mit Känga schon etwas anderes vor; also ging Pu alleine los um den Ostpohl auf eigene Faust zu entdecken. Ob er ihn entdeckt hat oder nicht, habe ich vergessen; aber er war so müde, als er nach Hause kam, dass er, mitten beim Abendessen, als er kaum länger als eine halbe Stunde gegessen hatte, auf seinem Stuhl einschlief und schlief und schlief und schlief.

Dann, plötzlich, träumte er.

Er war am Ostpohl, und es war ein sehr kalter Pohl, über und über mit der kältesten Sorte Schnee und Eis bedeckt. Er hatte einen Bienenkorb gefunden, in dem er schlafen konnte, aber in dem Bienenkorb war nicht genug Platz für seine Beine, und er hatte sie draußen gelassen. Und wilde Wuschel, wie sie am Ostpohl hausen, kamen und knabberten und knabberten den ganzen Pelz von seinen Beinen ab um Nester für ihre Jungen zu bauen. Und je mehr sie knabberten, desto kälter wurden seine Beine, bis er plötzlich mit einem »Au!« aufwachte, und da war er, und er saß auf seinem Stuhl, und seine Füße steckten im Wasser, und überall rings um ihn her war Wasser!

Er plantschte zu seiner Tür und sah hinaus ...

»Dies ist ernst«, sagte Pu. »Ich muss entkommen.«

Also nahm er seinen größten Topf Honig und entkam mit ihm auf einen dicken Ast seines Baumes, schön weit über dem Wasser, und dann kletterte er wieder hinunter und entkam mit einem zweiten Topf, und als er vollständig entkommen war, saß Pu auf seinem Ast, baumelte mit den Beinen, und dort, neben ihm, standen zehn Töpfe Honig ...

Zwei Tage später saß Pu auf seinem Ast, baumelte mit den Beinen, und dort, neben ihm, standen vier Töpfe Honig ...

Drei Tage später saß Pu auf seinem Ast, baumelte mit den Beinen, und dort, neben ihm, stand ein Topf Honig ...

Vier Tage später saß Pu auf seinem Ast ...

Und am Morgen des vierten Tages geschah es, dass Ferkels Flasche vorbeigetrieben kam, und mit einem lauten Schrei – »Honig!« – ließ sich Pu ins Wasser plumpsen, ergriff die Flasche und quälte sich wieder auf seinen Baum zurück.

»So ein Mist!«, sagte Pu, als er sie öffnete. »So nass für nichts
und wieder nichts. Was soll denn dieser Zettel?«
Er nahm ihn heraus und betrachtete ihn.
»Es ist eine Botschaft«, sagte er sich, »das ist es nämlich. Und
dieser Buchstabe ist ein ›P‹, und der auch, und ›P‹ heißt ›Pu‹,
also ist es eine sehr wichtige Botschaft für mich, und ich kann
sie nicht lesen. Ich muss Christopher Robin oder Eule oder
Ferkel finden, einen dieser schlauen Leser, die Sachen lesen
können, und sie werden mir sagen, was diese Botschaft bedeutet. Ich kann nur leider nicht schwimmen. So ein Mist!«
Dann hatte er eine Idee und ich finde, dass sie für einen Bären
von sehr wenig Verstand eine gute Idee war. Er sagte sich:
»Wenn die Flasche schwimmen kann, dann kann ein Topf
auch schwimmen, und wenn ein Topf schwimmt, kann ich
mich auf den Topf setzen, wenn der Topf sehr groß ist.«
Also nahm er den größten Topf und verschloss ihn sorgfältig.
»Alle Schiffe müssen einen Namen haben«, sagte er, »deshalb werde ich meins *Der Schwimmende Bär* nennen.« Und

mit diesen Worten ließ er sein Schiff ins Wasser fallen und sprang hinterher.

Zuerst waren Pu und *Der Schwimmende Bär* sich nicht einig, welcher von beiden oben hingehörte, aber nachdem sie eine bis zwei verschiedene Stellungen ausprobiert hatten, einigten

sie sich darauf, dass *Der Schwimmende Bär* unten blieb und der siegreiche Pu stolz im Herrensitz oben, wobei er eifrig mit den Füßen paddelte.

Christopher wohnte ganz oben im Wald. Es regnete und regnete und regnete, aber das Wasser konnte nicht bis zu *seinem* Haus steigen. Es war eigentlich ganz hübsch hinunter in die Täler zu schauen und ringsum das Wasser zu sehen, aber es regnete so heftig, dass er meistens zu Hause blieb und über Sachen nachdachte. Jeden Morgen ging er mit seinem Schirm vor die Tür und steckte dort, wo das Wasser schon angekommen war, ein Stöckchen in die Erde, und jeden nächsten Morgen ging er wieder vor die Tür und konnte das Stöckchen nicht mehr sehen, deshalb steckte er dort, wo das Wasser inzwischen angekommen war, ein neues Stöckchen in die Erde, und dann ging er wieder nach Hause, und jeden Morgen hatte er einen kürzeren Nachhauseweg als am Morgen zuvor. Am Morgen des fünften Tages sah er, dass er ringsum von Wasser umgeben war, und da wusste er, dass er auf

einer richtigen Insel wohnte. Was sehr aufregend war. An diesem Morgen geschah es, dass Eule über das Wasser geflogen kam um »Wie geht esss dir?« zu ihrem Freund Christopher Robin zu sagen.

»Sag mal, Eule«, sagte Christopher Robin, »macht das nicht Spaß? Ich bin auf einer Insel!«

»Die atmossssphärischen Konditzzzionen waren in letzzzter Zzzeit sehr ungünssstig«, sagte Eule.

»Die was?«

»Esss hat geregnet«, erläuterte Eule.

»Ja«, sagte Christopher Robin. »Es hat geregnet.«

»Der Pegelstand issst unverhältnisssmäßßßig hoch.«

»Der wer?«

»Esss issst überall viel Wasssssser«, erläuterte Eule.

»Ja«, sagte Christopher Robin, »viel Wasser.«

»Ich wage jedoch eine günssstigere Prognose zzzu stellen. Esss kann jetzzzt jederzzzeit ...«

»Hast du Pu gesehen?«

»Nein. Esss kann jetzzzt jederzzzeit ...«

»Ich hoffe, es geht ihm gut«, sagte Christopher Robin. »Ich habe mir schon Sorgen um ihn gemacht. Ich nehme an, er ist mit Ferkel zusammen. Glaubst du, es geht ihnen gut, Eule?«

»Ich nehme esss an. Esss kann jetzzzt nämlich jederzzzeit ...«

»Flieg doch mal hin und sieh nach, Eule. Weil Pu nicht sehr viel Verstand hat und etwas Dummes anstellen könnte und ich ihn doch so liebe, Eule. Verstehst du, Eule?«

»Allesss klar«, sagte Eule. »Ich fliege. Bin gleich wieder zzzurück.« Und sie flog davon.

Bald war sie wieder da.

»Pu issst nicht da«, sagte sie.

»Nicht da?«

»Er *war* da. Er hat mit neun Töpfen Honig vor seiner Wohnung auf einem Assst gesesssssssen. Aber jetzzzt issst er nicht mehr da.«

»Ach, Pu!«, schrie Christopher Robin. »Wo bist du?«

»Hier bin ich«, sagte eine brummige Stimme hinter ihm.

»Pu?«

Sie fielen einander in die Arme.

»Wie bist du hierher gekommen, Pu?«, fragte Christopher Robin, als er wieder sprechen konnte.

»Auf meinem Schiff«, sagte Pu stolz. »Mir war eine sehr wichtige Botschaft in einer Flasche zugeschickt worden, und da ich sie nicht lesen konnte, weil mir etwas Wasser in die Augen geraten war, habe ich sie dir mitgebracht. Auf meinem Schiff.«

Mit diesen stolzen Worten überreichte er Christopher Robin die Botschaft.

»Aber die ist ja von Ferkel!«, schrie Christopher Robin, als er sie gelesen hatte.

»Steht da gar nichts über Pu drin?«, fragte der Bär, der ihm über die Schulter sah.

Christopher Robin las die Botschaft laut vor.

»Ach, diese ›Ps‹ gehören zu Ferkel? Ich dachte, es wären lauter Pus.«

»Wir müssen es sofort retten! Ich dachte, es wäre mit *dir* zusammen, Pu. Eule, könntest du auf deinem Rücken Ferkel retten?«

»Ich glaube nicht«, sagte Eule, nachdem sie angestrengt nachgedacht hatte. »Esss issst mehr alsss zzzweifelhaft, ob ich die notwendige Rückenmusssskulatur ...«

»Würdest du dann *sofort* zu Ferkel fliegen und ihm sagen, dass Rettung unterwegs ist? Und Pu und ich werden über eine Rettung nachdenken und – so schnell wir können – kommen. Nicht *sprechen*, Eule, beeil dich!« Und Eule, die immer noch über eine Antwort nachdachte, flog davon.

»Also, Pu«, sagte Christopher Robin, »wo ist dein Schiff?«

»Ich sollte vielleicht sagen«, erläuterte Pu, als sie zur Küste der Insel hinuntergingen, »dass es kein ganz gewöhnliches Schiff ist. Manchmal ist es ein Schiff und manchmal eher ein Unfall. Kommt immer drauf an.«

»Worauf?«

»Darauf, ob ich darauf bin oder darunter.«

»Oh! Und wo ist es?«

»Da!«, sagte Pu und zeigte stolz auf *Der Schwimmende Bär.* Es war nicht das, was Christopher Robin erwartet hatte, und je mehr er das Schiff ansah, desto mehr dachte er, was für ein tapferer und schlauer Bär Pu doch war, und je mehr Christopher Robin dies dachte, desto mehr kuckte Pu an seiner Nase entlang zu Boden und versuchte so zu tun, als wäre er gar nicht tapfer und schlau.

»Aber für zwei von uns ist es zu klein«, sagte Christopher Robin traurig.

»Drei von uns mit Ferkel.«

»Das macht es noch kleiner. Ach, Pu Bär, was sollen wir nur tun?«

Und dann sagte dieser Bär, Pu Bär, Winnie-der-Pu, F. v. F. (Freund von Ferkel), K. G. (Kaninchens Genosse), P. E. (Pohl-Entdecker), I. A. T. und Sch. F. (I-Ahs Tröster und Schwanz-Finder) – nämlich er selbst, Pu – sagte etwas so Schlaues, dass Christopher Robin ihn nur mit offenem Mund anstarren konnte und sich fragte, ob dies wirklich der Bär von so wenig Verstand war, den er schon so lange kannte und liebte.

»Wir könnten vielleicht in deinem Schirm hinfahren«, sagte Pu.

»?«

»Wir könnten vielleicht in deinem Schirm hinfahren«, sagte Pu.

»??«

»Wir könnten vielleicht in deinem Schirm hinfahren«, sagte Pu.

»!!!!!«

Denn plötzlich sah Christopher Robin, dass sie das tatsächlich vielleicht könnten. Er öffnete seinen Schirm und legte ihn mit der Spitze nach unten aufs Wasser. Er ging nicht unter, aber er schwankte. Pu stieg ein. Er wollte gerade sagen, jetzt sei alles in Ordnung, als er merkte, dass das gar nicht stimmte, und so watete er nach einem Schluck Wasser, den er eigentlich nicht gewollt hatte, zurück zu Christopher Robin. Dann stiegen sie beide zusammen ein und nun schwankte der Schirm nicht mehr.

»Ich werde dieses Schiff *Pus Verstand* nennen«, sagte Christopher Robin, und *Pus Verstand* setzte unverzüglich Segel in südwestlicher Richtung und drehte sich dabei anmutig um sich selbst.

Du kannst dir Ferkels Freude vorstellen, als endlich das Schiff in Sicht kam. In späteren Jahren dachte Ferkel gern, es habe zwar durchaus während der schrecklichen Überschwemmung in sehr großer Gefahr geschwebt, aber die einzige echte Gefahr, in der es sich befunden habe, habe während der letzten halben Stunde seiner Gefangenschaft bestanden, als Eule, die gerade herbeigeflogen sei, auf einem Ast des Baumes gesessen habe um es zu trösten und ihm eine sehr lange Geschichte über eine Tante erzählt habe, die aus Versehen ein Möwenei gelegt habe, und die Geschichte ging immer weiter, so ähnlich wie dieser Satz, bis Ferkel, welches ohne viel Hoffnung am Fenster gesessen und zugehört habe, still und auf ganz natürliche Weise eingeschlafen sei, wobei es langsam aus dem Fenster dem Wasser entgegengerutscht sei, bis es nur noch an den Zehen gehangen habe, in welchem Augenblick, glücklicherweise, ein lauter, heiserer Schrei von Eule, der in Wirklichkeit zu Eules Ge-

schichte gehört und das wiedergegeben habe, was Eules Tante gesagt habe, Ferkel geweckt und ihm gerade eben genug Zeit gegeben habe sich mit einem Ruck in Sicherheit zu bringen und »Wie interessant und *war* es nun ihr Ei?«, zu sagen, als – na, du kannst dir Ferkels Freude vorstellen, als es endlich das stolze Schiff *Pus Verstand* sah (*Kapitän:* C. Robin; *1. Steuermann:* P. Bär), welches von weit her übers Meer gekommen war um es zu retten ...

Und da dies wirklich das Ende der Geschichte ist und ich nach dem letzten Satz sehr müde bin, werde ich, glaube ich, hier aufhören.

ZEHNTES KAPITEL

In welchem Christopher Robin zu einer Pu-Party einlädt und wir uns verabschieden

Eines Tages war die Sonne zurückgekommen und stand wieder über dem Wald, und sie hatte den Duft des Monats Mai mitgebracht, und alle Bäche des Waldes blinkten und plapperten froh und bemühten sich ihre alte schöne Form und Gestalt wiederzugewinnen, und die kleinen Tümpel lagen da und träumten vom Leben, das sie gesehen, und den großen Dingen, die sie vollbracht hatten, und in der Wärme und Stille des Waldes probierte der Kuckuck vorsichtig seine Stimme aus und lauschte um zu erfahren, ob er sie mochte, und Waldtauben beklagten sich untereinander milde auf ihre träge, bequeme Art: *Ihre* Schuld sei es nicht gewesen, dass es so gekommen sei, wie es gekommen sei, aber das sei ja auch nicht weiter schlimm; an so einem Tag pfiff Christopher Robin diesen speziellen Pfiff, den er beherrschte, und Eule kam aus dem Hundertsechzig-Morgen-Wald herausgeflogen um zu erfahren, was von ihr verlangt wurde.

»Eule«, sagte Christopher Robin, »ich werde eine Party veranstalten.«

»Eine Party wirsssst du veranstalten?«, sagte Eule.

»Und es soll eine ganz spezielle Party werden, denn sie wird stattfinden, weil Pu das getan hat, als er das getan hat, was er getan hat um Ferkel vor der Überschwemmung zu retten.«

»Ach, desssshalb wirssst du sie veranstalten?«, sagte Eule.

»Ja, sage also Pu bitte so schnell wie möglich Bescheid und allen anderen, weil es nämlich morgen stattfinden wird.«

»Ach, morgen wird esss stattfinden?«, fragte Eule immer noch so hilfsbereit wie nur irgend möglich.

»Würdest du nun also vielleicht losfliegen und Bescheid sagen?«

Eule dachte über einen möglichst klugen Spruch nach, aber da ihr keiner einfiel, flog sie los um den anderen Bescheid zu sagen. Und der Erste, dem sie Bescheid sagte, war Pu.

»Pu«, sagte sie. »Christopher Robin veranstaltet eine Party.«

»Oh!«, sagte Pu. Und weil er dann sah, dass Eule mehr von ihm erwartete, sagte er: »Gibt es da auch diese kleinen Kuchendinger mit rosa Zuckerguss?«

Eule fand, dass es weit unter ihrer Würde lag über kleine Kuchendinger mit rosa Zuckerguss zu sprechen, und deshalb richtete sie Pu ganz genau aus, was Christopher Robin gesagt hatte, und flog weiter zu I-Ah.

Eine Party für mich?, dachte Pu. Wie toll! Und er begann sich zu fragen, ob all die anderen Tiere wussten, dass es eine spezielle Pu-Party war, und ob Christopher Robin ihnen von *Der Schwimmende Bär* und *Pus Verstand* und all den wunderbaren Schiffen, die er erfunden und mit denen er die Meere bereist hatte, erzählt haben mochte, und er begann darüber nachzudenken, wie grauenhaft es wäre, wenn jeder es vergessen hätte und niemand so recht wüsste, weshalb die Party eigentlich gefeiert würde, und je mehr er so dachte, desto wirrer wurde die Party in seinem Geiste, wie ein Traum, wenn nichts so richtig klappt. Und der Traum begann in seinem Kopf von allein zu singen, bis er eine Art Lied wurde. Es war ein

BESORGTES PU-LIED

»Ein 3fach Hoch auf Pu!
(Auf wen, warum, wozu?)
Auf Pu –;
(Links Beifall; rechts ein »Buh!«)
Das wusstest du doch, du.
Er hat seinen Freund vorm Nasswerden gerettet!
3 Hoch auf Bär!
(Auf wer?)
Auf Bär –;
Schwimmen konnte er nicht.
Doch gerettet hat er den Wicht!
(Gerettet hast ihn du?)
Hört zu!
Ich spreche von Pu ...
(Nur zu!)
Von Pu!
(Mein Gedächtnis ist etwas schlicht.)
Also, Pu war ein Bär von enormem Verstand ...
(›Da capo!‹ ›Bitte Ruhe!‹ ›Allerhand, allerhand!‹)
Von enormem Verstand ...
(Von enormem was?)
Er aß nicht; er fraß,
Und ob er im Wasser schwamm oder saß –:
Er trieb vor sich hin und das machte ihm Spaß
Auf einer Art Floß ...
(Auf einer Art was?)

Auf einer Art Fass.
Also bitte 3 Hipp, hipp, Hurras
(Also bitte drei herzhafte Sowiesos),
Und hoffen wir, dass er noch jahre- und jahrelang
unter uns weilt,
Und noch gesünder und noch klüger und noch
reicher wird und immer richtig die Lage peilt.
Für Pu 3 Hurras!
(Für was?)
3 Hurras für Bär!
(Für wen?)
Für Bär ...
3 Hurras für den wunderbaren Winnie-der-Pu!
(Kann mir jemand mal sagen, WESHALB
UND WOZU?)«

Während dies in Pu vorging, sprach Eule mit I-Ah.
»I-Ah«, sagte Eule, »Chrissstopher Robin veranstaltet eine
Party.«
»Sehr interessant«, sagte I-Ah. »Ich vermute, sie werden mir
die Reste schicken, auf denen schon mal jemand herumge-
trampelt hat. Sehr freundlich und sehr einfühlsam. Nichts zu
danken, bitte bitte, schon gut.«
»Esss exxxissstiert eine Einladung für dich.«
»Und wie sieht sie aus?«
»Eine Einladung!«
»Ja, ich habe dich gehört. Wer hat sie fallen gelassen?«
»Esss handelt sich nicht um etwasss Essssssbaresss, sondern
du wirsst auf eine Party gebeten. Morgen.«

I-Ah schüttelte langsam den Kopf.

»Du meinst Ferkel. Der kleine Bursche mit den aufgeregten Ohren. Das ist Ferkel. Ich werde es ihm sagen.«

»Nein, nein!«, sagte Eule, die allmählich etwas eigen wurde. »Esss geht um dich!«

»Bist du sicher?«

»Natürlich bin ich sicher. Chrissstopher Robin hat gesagt: ›Sag *allen* anderen Bescheid.‹«

»Allen anderen, nur I-Ah nicht?«

»Allen«, sagte Eule beleidigt.

»Ah!«, sagte I-Ah. »Ein Irrtum, zweifelsohne, aber ich werde trotzdem erscheinen. Aber macht *mich* nicht verantwortlich, wenn es regnet.«

Aber es regnete nicht. Christopher Robin hatte aus langen Hölzern einen langen Tisch gebaut und alle saßen an diesem Tisch. Christopher Robin saß am einen Ende, und Pu saß am anderen, und zwischen ihnen saßen auf der einen Seite Eule und I-Ah und Ferkel, und auf der anderen Seite saßen Kaninchen und Ruh und Känga zwischen ihnen. Und Kaninchens sämtliche Bekannten und Verwandten breiteten sich auf dem Gras aus und warteten voller Hoffnung, dass jemand das Wort an sie richtete oder etwas fallen ließ oder sie fragte, wie spät es war.

Es war die erste Party, auf der Ruh je gewesen war, und Ruh war sehr aufgeregt. Sobald sie alle saßen, begann es zu reden.

»Hallo, Pu!«, quiekte es.

»Hallo, Ruh!«, sagte Pu.

Ruh hüpfte im Sitzen mehrmals auf und ab und danach noch einmal.

»Hallo, Ferkel!«, quiekte es.

Ferkel winkte ihm mit einer Pfote zu und war zu beschäftigt um irgendetwas zu sagen.

»Hallo, I-Ah!«, sagte Ruh.

I-Ah nickte ihm düster zu. »Bald wird es regnen; du wirst schon sehen«, sagte er.

Ruh sah nach und Ruh sah, dass es nicht regnete, und deshalb sagte Ruh: »Hallo, Eule!«, und Eule sagte in freundlicher Weise: »Hallo, mein Kleinesss«, und dann erzählte sie Christopher Robin weiter über den Unfall, der beinahe einem ihrer Bekannten zugestoßen wäre, den Christopher Robin nicht kannte, und Känga sagte zu Ruh: »Trink zuerst deine Milch aus, mein Schatz, und danach kannst du sprechen, Liebes.«

Deshalb versuchte Ruh, das seine Milch trank, zu sagen, dass

es beides gleichzeitig könne … Und danach musste man ihm
auf den Rücken klopfen und es musste längere Zeit abgetrocknet werden.

Als sie alle fast genug gegessen hatten, knallte Christopher
Robin seinen Löffel auf den Tisch und jeder hörte mit Reden
auf, nur Ruh nicht, das gerade einen lauten Aufschluck-An-
fall hatte und versuchte auszusehen, als hätte einer von Kaninchens Bekannten und Verwandten den Schluckauf.

»Diese Party«, sagte Christopher Robin, »ist eine Party wegen etwas, was jemand getan hat, und wir wissen alle, wer es
war, und es ist eine Party, weil er getan hat, was er getan hat,
und ich habe ein Geschenk für ihn, und hier ist es.« Dann
tastete er ein bisschen herum und flüsterte: »Wo ist es?«

Während er suchte, hustete I-Ah auf beeindruckende Weise
und begann zu sprechen.

»Freunde«, sagt er, »und sonstiges herumwuselndes Kropp-
zeug eingeschlossen, es ist ein großes Vergnügen oder vielleicht sollte ich eher sagen: Es war bisher ein großes Vergnügen euch auf meiner Party zu sehen. Jeder von euch – außer
Kaninchen und Känga und Eule – hätte so gehandelt wie ich.
Ach, außer Pu. Meine Bemerkungen erstrecken sich natür-

lich nicht auf Ferkel und Ruh, weil sie zu klein sind. Jeder von euch hätte so gehandelt. Aber es traf sich zufällig so, dass ich es war. Ich brauche kaum hinzuzufügen, dass ich nicht ahnte, dass ich dafür das bekommen würde, was Christopher Robin gerade sucht ...«, und er legte ein Vorderbein an den Mund und sagte mit lautem Geflüster: »Versuch's doch mal unterm Tisch! – ... und zwar für das, was ich getan habe – aber ich finde, wir alle sollten alles, was in unserer Macht steht, tun um zu helfen. Ich finde, wir alle sollten ...«

»H ... Hick!«, sagte Ruh aus Versehen.

»Ruh, Liebes!«, sagte Känga tadelnd.

»War ich das?«, fragte Ruh ein bisschen erstaunt.

»Wovon spricht I-Ah eigentlich?«, flüsterte Ferkel Pu zu.

»Ich weiß es nicht«, sagte Pu ziemlich trübselig.

»Ich dachte, es wäre *deine* Party.«

»Das dachte ich auch mal. Aber wenn es doch vielleicht nicht meine ist?«

»Ich fände es schöner, wenn es deine wäre als die von I-Ah«, sagte Ferkel.

»Ich auch«, sagte Pu.

»H ... Hick!«, sagte Ruh wieder.

»WIE – ICH – GERADE – SAGTE«, sagte I-Ah laut und streng, »wie ich gerade sagte, als ich von verschiedenen lauten Geräuschen unterbrochen wurde, finde ich, dass ...«

»Hier ist es!«, schrie Christopher Robin aufgeregt. »Reicht es dem dummen alten Pu weiter. Es ist für Pu.«

»Für Pu?«, sagte I-Ah.

»Natürlich ist es für Pu. Den besten Bären auf der ganzen Welt.«

»Das hätte ich mir denken können«, sagte I-Ah. »Aber wozu

sich beklagen? Ich habe immerhin meine Freunde. Erst gestern hat jemand mit mir gesprochen. Und war es nicht letzte – oder vorletzte? – Woche, dass Kaninchen in mich hineingerannt ist und ›So ein Mist!‹, gesagt hat? Die gesellige Runde. Ständig ist was los.«

Niemand hörte zu, denn alle sagten: »Pu, mach's auf« – »Was ist drin, Pu?« – »Ich weiß, was es ist« – »Nein, weißt du nicht« und andere hilfreiche Bemerkungen dieser Gattung. Und natürlich machte Pu es so schnell auf, wie er nur irgend

konnte, aber ohne den Bindfaden zu zerschneiden, denn man weiß ja nie, wann ein Stück Bindfaden sich als nützlich erweisen könnte. Schließlich war das Geschenk ausgepackt.

Als Pu sah, was es war, fiel er fast um, so erfreut war er. Es war ein spezieller Buntstiftkasten. Es gab Stifte, auf denen »B« stand, und das hieß Bär, und es gab Stifte, auf denen »HB« stand, und das hieß »Hilfsbereiter Bär«, und es gab Stifte, auf denen »TB« stand, und das hieß »Tapferer Bär«. Es gab ein Messer, mit dem man alle Stifte anspitzen konnte, und ein Radiergummi, mit dem man alles ausradieren konnte, was man falsch buchstabiert hatte, und ein Lineal, damit die Wörter etwas hatten, worauf sie gehen konnten, und Zentimeter waren auf dem Lineal verzeichnet, falls man wissen wollte, wie viele Zentimeter lang alles war, und blaue Stifte und rote Stifte und grüne Stifte, um spezielle Sachen in Blau und Rot und Grün sagen zu können. Und all diese herrlichen Sachen waren in ihren eigenen kleinen Taschen in einem speziellen Kasten, der »Klick« machte, wenn man ihn zuklickte. Und sie waren alle für Pu.

»Oh!«, sagte Pu.

»Oh, Pu!«, sagten alle anderen außer I-Ah.

»Danke«, brummte Pu.

I-Ah sagte nämlich still vor sich hin: »Diese ganze Schreiberei. Bleistifte und was nicht alles. Überbewertet, wenn man mich fragt. Steckt doch nichts dahinter.«

Später, als sie alle »Lebe wohl« und »Danke« zu Christopher Robin gesagt hatten, gingen Pu und Ferkel nachdenklich durch den goldenen Abend nach Hause, und lange war es ganz still.

»Wenn du morgens aufwachst, Pu«, sagte Ferkel schließlich, »was sagst du dann als Erstes zu dir?«

»Was gibt's zum Frühstück?«, sagte Pu. »Was sagst *du*, Ferkel?«

»Ich sage: ›Ich frage mich, was *heute* Aufregendes passieren wird‹«, sagte Ferkel.

Pu nickte gedankenschwer.

»Das ist dasselbe«, sagte er.

»Und was ist passiert?«, fragte Christopher Robin.

»Wann?«

»Am nächsten Morgen.«

»Ich weiß es nicht.«

»Könntest du nachdenken und es mir und Pu irgendwann erzählen?«

»Wenn du es dir sehr wünschst.«

»Pu wünscht es sich sehr«, sagte Christopher Robin.

Er seufzte ganz tief, hob seinen Bären am Bein auf und ging zur Tür, wobei er Winnie-den-Pu hinter sich her zog. Bei der Tür drehte er sich um und sagte: »Kommst du mit und siehst dir an, wie ich bade?«

»Vielleicht«, sagte ich.

»War Pus Buntstiftkasten besser als meiner?«

»Er war genau wie deiner«, sagte ich.

Er nickte und ging hinaus ... und einen Augenblick später hörte ich Winnie-den-Pu – *rumpeldipumpel* –, wie er hinter ihm die Treppe hinaufging.

Pu baut ein Haus

Widmung

Du schenktest mir Christopher Robin, und dann
Hauchtest du neues Leben in Pu.
Was ich mit der Feder schreiben kann,
Dessen wahrer Erfinder bist du.
Mein Buch ist fertig und sendet Grüße
Der Mutter, auf die es sich
Freut, und es wär ein Geschenk, meine Süße,
Wär's nicht dein Geschenk schon für mich.

Rückstellung

Eine Vorstellung ist dazu da, dass man jemanden vorstellt, aber Christopher Robin und seine Freunde, die dir bereits vorgestellt worden sind, wollen sich jetzt verabschieden. Deshalb ist dies das Gegenteil. Als wir Pu fragten, was das Gegenteil von einer Vorstellung ist, sagte er: »Das was von einer was?«, und das war für uns keine so große Hilfe, wie wir gehofft hatten, aber glücklicherweise verlor Eule nicht den Kopf und sagte uns, dassssss dass Gegenteil von einer Vorstellung, mein lieber Pu, eine Rückstellung issst; und da sie ja bei langen Worten sehr gut Bescheid weiß, bin ich sicher, dass es das auch ist.

Der Grund für diese Rückstellung ist in der letzten Woche zu suchen, als Christopher Robin zu mir sagte: »Wie ist es denn mit der Geschichte, die du mir erzählen wolltest, in der es darum ging, was Pu passierte, als ...« Woraufhin ich zufällig gerade sehr schnell sagte: »Wie ist es denn mit neun mal hundertsieben?« Und nachdem wir damit fertig waren, kamen Kühe dran, und zwar gehen immer zwei gleichzeitig durch ein Tor, und auf der Wiese stehen dreihundert, und wie viele sind nach anderthalb Stunden noch übrig? Wir finden so etwas sehr aufregend, und wenn wir uns genügend aufgeregt haben, machen wir es uns bequem und schlafen ein … Und Pu, der noch ein bisschen länger wach auf seinem Stuhl neben unseren Kopfkissen sitzt, denkt Große Dinge über Gar Nichts, bis er ebenfalls die Augen schließt, den Kopf sinken lässt und uns auf Zehenspitzen in den Wald folgt. Dort erleben wir immer noch verzauberte Abenteuer, noch wunderbarer als alle, die ich dir bisher erzählt habe; aber jetzt, wenn wir morgens aufwachen, sind sie verschwunden, bevor wir sie festhalten können. Wie fing das letzte Abenteuer an? »Eines Tages, als Pu in den Wald ging, standen hundertsieben Kühe vor einem Tor …« Nein, siehst du, wir haben es verloren. Es war das Beste, glaube ich. Na ja, hier sind ein paar andere, alle, die uns jetzt einfallen. Und eigentlich verabschieden wir uns gar nicht, denn den Wald wird es immer geben … Und jeder, der mit Bären befreundet ist, kann ihn finden.

A. A. M.

ERSTES KAPITEL

In welchem am Puwinkel ein Haus für I-Ah gebaut wird

Eines Tages, als Pu der Bär nichts anderes zu tun hatte, dachte er, er könnte eigentlich etwas tun, und deshalb ging er zu Ferkels Haus um zu sehen, was Ferkel tat. Es schneite immer noch, als er über den weißen Waldweg stapfte, und er erwartete Ferkel vor dem Kamin anzutreffen, wo es sich die Zehen wärmte. Aber zu seiner Überraschung sah er, dass die Tür offen war, und je mehr er in die Wohnung spähte, desto mehr war Ferkel nicht zu Hause.

»Nicht zu Hause«, sagte Pu traurig. »Daran liegt es nämlich. Ferkel ist nicht zu Hause. Ich werde einen Gang tun müssen, und zwar um nachzudenken, und zwar allein. So ein Mist!« Aber zuerst, dachte er, würde er sehr laut klopfen, um *ganz* sicherzugehen ... Und während er darauf wartete, dass Ferkel nicht an die Tür kam, sprang er auf und ab um sich warm zu halten, und da kam ihm plötzlich ein Gesumm in den Sinn, und es schien ihm ein gutes Gesumm zu sein, ein Gesumm voller Hoffnung, zum Vorsummen.

>»Der Schnee, der Schnee
> (Tideli pom),
> In dem ich geh
> (Tideli pom),
> In dem Schnee
> (Tideli pom),

Im Schnee.
Er tut schon weh
  (Tideli pom),
Im vielen Schnee
  (Tideli pom),
Er tut weh
  (Tideli pom):
Der Zeh.«

»Was ich also tun werde«, sagte Pu, »ist, dass ich Folgendes tun werde: Ich gehe erst mal nach Hause und sehe nach, wie viel Uhr es ist, und vielleicht binde ich mir einen Schal um den Hals, und dann besuche ich I-Ah und singe ihm das Gesumm vor.«

Er ging so schnell wie möglich nach Hause, und auf dem Weg war er so sehr mit dem Gesumm beschäftigt, welches er für I-Ah dichtete, dass er, als er plötzlich Ferkel auf seinem besten Sessel sitzen sah, nur dastehen und sich den Kopf kratzen und sich fragen konnte, in wessen Wohnung er war.

»Hallo, Ferkel«, sagte er. »Ich dachte, du wärst nicht zu Hause.«

»Nein«, sagte Ferkel, »*du* warst nicht zu Hause, Pu.«

»Das war es also«, sagte Pu. »Ich wusste doch, dass einer von uns nicht zu Hause war.«

Er sah auf seine Uhr, die an der Wand hing und vor einigen Wochen seit fünf Minuten vor elf stehen geblieben war.

»Schon fast elf«, sagte Pu froh. »Du kommst gerade zur rechten Zeit für eine kleine Erfrischung«, und er steckte den Kopf in den Schrank. »Und dann gehen wir vor die Tür, liebes Ferkel, und singen I-Ah mein Lied vor.«

»Welches Lied, Pu?«

»Das Lied, das wir I-Ah vorsingen werden«, erläuterte Pu.

Die Uhr zeigte immer noch fünf Minuten vor elf, als Pu und
Ferkel eine halbe Stunde später aufbrachen. Der Wind hatte
sich gelegt, und der Schnee, der keine Lust mehr hatte im
Kreis hinter sich selbst herzujagen, schwebte nun sanft her-
ab, bis er einen Platz gefunden hatte, auf dem er sich nieder-
lassen konnte, und manchmal war der Platz die Nase von Pu
und manchmal auch nicht, und bald trug Ferkel einen weißen Schal um den Hals und fühlte sich hinter den Ohren
verschneiter als jemals zuvor.

»Pu«, sagte es ganz zum Schluss und ein bisschen zaghaft,
weil es nicht wollte, dass Pu einen falschen Eindruck von ihm
bekam, »ich habe gerade nachgedacht. Wie wäre es, wenn
wir jetzt nach Hause gingen und unser Lied *einübten* und es

dann morgen I-Ah vorsängen ... oder ... oder übermorgen, wenn wir ihn vielleicht sowieso treffen?«

»Das ist eine sehr gute Idee, Ferkel«, sagte Pu. »Wir werden es jetzt im Gehen einüben. Aber es hat nicht viel Sinn nach Hause zu gehen um es einzuüben, weil es nämlich ein spezielles Lied ist, das man im Freien und im Schnee singen muss.«

»Bist du sicher?«, fragte Ferkel besorgt.

»Das wirst du dann schon merken, Ferkel, wenn du es hörst. Es beginnt nämlich folgendermaßen: ›*Der Schnee, der Schnee, tideli pom ...*‹«

»Tideli was?«, fragte Ferkel.

»Pom«, sagte Pu. »Ich habe das eingeführt, damit man es besser summen kann. ›*In dem ich geh, tideli pom ...*‹«

»Sagtest du nicht ›Schnee‹?«

168

»Doch, aber das war *vorher*.«

»Vor dem Tideli pom?«

»Das war ein *anderes* Tideli pom«, sagte Pu, der nun völlig verwirrt war. »Ich singe es dir jetzt mal ordentlich vor und dann wirst du schon sehen.«

Also sang er es noch einmal.

> »Der Schnee, der
> SCHNEE-tideli-pom,
> In dem ich
> GEH-tideli-pom,
> In dem
> SCHNEE-tideli-pom,
> Im Schnee.
> Er tut schon
> WEH-tideli-pom,
> Im vielen
> SCHNEE-tideli-pom,
> Er tut
> WEH-tideli-pom:
> Der
> Zeh.«

So sang er es vor, und das ist so ziemlich die beste Art und Weise, wie man es singen kann, und als er fertig war, wartete er darauf, dass Ferkel sagte, von sämtlichen im Freien und im Schnee zu singenden Liedern, die es je gehört habe, sei dies das beste, und nachdem es sorgfältig über die Sache nachgedacht hatte, sagte Ferkel: »Pu«, sagte es feierlich, »es ist weniger der *Zeh* als das *Ohr*.«

Inzwischen waren sie in die Nähe von I-Ahs Düsternis gekommen, denn dort wohnte er und da es hinter Ferkels Ohren immer noch ziemlich verschneit war und da Ferkel dies
zunehmend satt hatte, bogen sie in einen kleinen Nadelwald
ein und setzten sich auf das Tor, hinter dem der Nadelwald
anfing. Hier schneite es zwar nicht mehr, aber es war sehr
kalt, und um sich warm zu halten sangen sie Pus Lied gleich

sechsmal hintereinander, wobei Ferkel die Tideli-poms und
Pu alles andere übernahm. An den richtigen Stellen hämmer-
ten sie mit Stöcken auf das Tor, und nach einer gewissen Zeit
war ihnen schon viel wärmer, und sie konnten wieder sprechen.

»Ich habe nachgedacht«, sagte Pu, »und das, worüber ich

170

nachgedacht habe, ist Folgendes: Ich habe über I-Ah nachgedacht.«

»Was ist mit I-Ah?«

»Na ja, der arme I-Ah hat nichts, wo er wohnen kann.«

»Nein, hat er nicht«, sagte Ferkel.

»*Du* hast ein Haus, Ferkel, und ich habe ein Haus, und das sind sehr gute Häuser. Und Christopher Robin hat ein Haus, und Eule und Känga und Kaninchen haben Häuser, und sogar Kaninchens Bekannte und Verwandte haben Häuser oder dergleichen, aber der arme I-Ah hat nichts. Deshalb habe ich über Folgendes nachgedacht: Komm, wir bauen ihm ein Haus.«

»Das«, sagte Ferkel, »ist eine großartige Idee. Wo sollen wir es hinbauen?«

»Wir werden es hierher bauen«, sagte Pu, »genau hier an den Wald, windgeschützt, denn hier habe ich darüber nachgedacht. Und wir werden es Puwinkel nennen. Und aus Stöckchen werden wir ein I-Ah-Haus im Puwinkel für I-Ah bauen.«

»Drüben auf der anderen Seite des Waldes war ein Haufen Stöcke«, sagte Ferkel. »Ich habe sie gesehen. Jede Menge. Alle aufgestapelt.«

»Ich danke dir, Ferkel«, sagte Pu. »Was du gerade gesagt hast, wird uns eine große Hilfe sein, und deshalb könnte ich diese Stelle Pu & Ferkelwinkel nennen, wenn Puwinkel nicht viel besser klänge, was es aber tut, weil es kleiner und winkeliger ist. Komm mit.«

Also stiegen sie vom Tor herunter und gingen um den Wald herum um Stöcke zu holen.

Christopher Robin hatte den Vormittag zu Hause verbracht,

wo er einmal nach Afrika und zurück gereist war, und er war gerade wieder an Land gegangen und fragte sich, wie es wohl draußen aussehen mochte, als na, wer denn schon? kein anderer als I-Ah an die Tür klopfte.

»Hallo, I-Ah«, sagte Christopher Robin, als er die Tür öffnete und herauskam. »Wie geht es *dir* denn?«

»Es schneit noch immer«, sagte I-Ah düster.

»So ist es.«

»*Und* friert.«

»Wirklich?«

»Ja«, sagte I-Ah. »Jedoch«, sagte er und sein Gesicht hellte sich etwas auf, »hatten wir in letzter Zeit kein Erdbeben.«

»Was ist denn los, I-Ah?«

»Nichts, Christopher Robin. Nichts Wichtiges. Ich vermute, du hast nicht zufällig irgendwo ein Haus oder so was Ähnliches gesehen?«

»Was für ein Haus?«

»Nur so ein Haus.«

»Wer wohnt denn drin?«

»Ich. Jedenfalls hatte ich das angenommen. Aber vermutlich wohne ich gar nicht drin. Wir können schließlich nicht alle Häuser haben.«

»I-Ah ... Ich wusste gar nicht ... Ich dachte immer ...«

»Ich weiß nicht, woher das kommt, Christopher Robin, aber mit all dem Schnee und diesem und jenem, und eins kommt zum anderen, von Eiszapfen und Ähnlichem ganz zu schweigen, ist es gegen drei Uhr morgens auf meinem Acker gar nicht mal so heiß, wie manche Leute glauben. Aber auch nicht annähernd, falls du verstehst, was ich meine, jedenfalls nicht so heiß, dass es ungemütlich wird. Es ist nicht stickig. Im Gegenteil, Christopher Robin«, fuhr er in lautem Flüsterton fort, »aber-das-bleibt-unter-uns-und-sag-es-bloß-niemandem-weiter, es ist kalt.«

»Ach, I-Ah!«

»Und da habe ich mir gesagt: Den anderen wird es noch mal Leid tun, wenn ich da so in der Kälte stehe. Sie haben keinen Verstand, keiner von ihnen, nur graue Fusseln, die ihnen aus Versehen in den Kopf geweht worden sind, und sie *denken* nicht, aber wenn es noch mal sechs Wochen oder noch länger schneit, wird sich einer von ihnen vielleicht sagen:

›*So* heiß kann es I-Ah gegen drei Uhr morgens doch eigentlich gar nicht sein.‹ Und dann wird es sich herumsprechen. Und dann wird es ihnen Leid tun.«

»Ach, I-Ah!«, sagte Christopher Robin, dem es bereits sehr Leid tat.
»Dich meine ich nicht, Christopher Robin. Du bist anders.

Jedenfalls läuft alles darauf hinaus, dass ich mir da unten bei meinem kleinen Wald ein Haus gebaut habe.«
»Wirklich? Wie aufregend!«

»Das eigentlich Aufregende daran«, sagte I-Ah mit seiner finstersten Stimme, »ist, dass es, als ich es heute Morgen verließ, noch da war, und als ich zurückkam, war es weg. Nicht weiter schlimm und völlig normal und es war ja auch nur I-Ahs Haus. Aber ein bisschen gestaunt habe ich doch.« Christopher Robin kam aus dem Staunen gar nicht mehr heraus. Er war bereits wieder in *seinem* Haus und setzte sich, so schnell er konnte, seinen wasserdichten Hut auf und zog sich seine wasserdichten Stiefel und seinen wasserdichten Regenmantel an.

»Wir gehen sofort los und suchen es!«, rief er I-Ah zu.
»Manchmal«, sagte I-Ah, »wenn manche Leute damit fertig sind, jemandem das Haus wegzunehmen, sind ein bis zwei Stücke übrig, die sie nicht brauchen und wo sie ganz froh sind, wenn der Betreffende sie zurücknimmt, falls du verstehst, was ich meine. Deshalb dachte ich, wenn wir einfach mal hingehen ...«
»Komm mit«, sagte Christopher Robin, und sie stoben davon, und nach sehr kurzer Zeit erreichten sie die Ecke des

Ackers beim Nadelwäldchen, wo I-Ahs Haus nicht mehr war.
»Da!«, sagte I-Ah. »Auch nicht ein einziges Stöckchen mehr
übrig. Ich habe natürlich immer noch den vielen Schnee, mit
dem ich tun kann, was ich will. Man soll sich ja auch nicht
beklagen.«
Aber Christopher Robin hörte I-Ah gar nicht zu; er hörte
etwas anderes.
»Kannst du es hören?«, fragte er.
»Was ist das? Lacht da jemand?«
»Hör zu.«
Sie lauschten beide ... Und sie hörten eine tiefe, brummige
Stimme, die tat, als wäre sie eine Singstimme, und sagte, der
Schnee, der Schnee tut weh am Zeh, und eine kleine, hohe
Stimme tidelipommte mitten hinein.
»Das ist Pu«, sagte Christopher Robin aufgeregt.
»Gut möglich«, sagte I-Ah.
»*Und* Ferkel!«, sagte Christopher Robin aufgeregt.

»Wahrscheinlich«, sagte I-Ah. »Was wir aber *brauchen*, ist ein dressierter Bluthund.«

Plötzlich brachen die Worte des Liedes ab.

»*Jetzt ist es fertig, unser HAUS!*«, sang die brummige Stimme.

»*Tideldi pom!*«, sang die quiekende Stimme.

»*Ein so schönes HAUS ...*«

»*Tideli pom ...*«

»*Ach, wär es doch MEINS ...*«

»*Tideli pom ...*«

»Pu!«, rief Christopher Robin.

Die Sänger auf dem Tor hielten plötzlich inne.

»Das ist Christopher Robin!«, sagte Pu voller Eifer.

»Er ist dahinten, wo wir die Stöcke geholt haben«, sagte Ferkel.

»Komm mit«, sagte Pu.

Sie kletterten vom Tor herunter und rannten um die Ecke des Wäldchens und auf dem ganzen Weg machte Pu Willkommensgeräusche.

»Nanu, da *ist* ja I-Ah«, sagte Pu, als er Christopher Robin fertig umarmt hatte, und er gab Ferkel einen kleinen Stups, und Ferkel gab ihm einen kleinen Stups, und sie dachten beide an die wunderschöne Überraschung, die sie da vorbereitet hatten.

»Hallo, I-Ah.«

»Gleichfalls, Pu Bär, und donnerstags zweimal«, sagte I-Ah düster.

Bevor Pu »Warum donnerstags?« sagen konnte, begann Christopher Robin die traurige Geschichte von I-Ahs verlorenem Haus zu erzählen. Und Pu und Ferkel hörten zu und ihre Augen schienen immer größer zu werden.

»Wo, sagtest du, hat es gestanden?«, fragte Pu.

»Genau hier«, sagte I-Ah.

»Und aus Stöcken gebaut?«

»Ja.«

»Oh!«, sagte Ferkel.

»Was?«, fragte I-Ah.

»Ich habe nur ›Oh!‹ gesagt«, sagte Ferkel nervös. Und damit es völlig ungezwungen wirkte, summte es ein- bis zweimal »Tideli pom«, und zwar auf ganz typische So-und-was-ma-chen-wir-als-Nächstes-Art-und-Weise.

»Du bist sicher, dass es dein Haus *war*?«, fragte Pu. »Ich meine, du bist sicher, dass das Haus genau hier war?«

»Natürlich bin ich sicher«, sagte I-Ah. Und bei sich selbst murmelte er: »Nicht den geringsten Verstand; manche jeden-falls.«

»Warum, was ist denn los, Pu?«, fragte Christopher Robin.

»Tja ...«, sagte Pu. »Die Sache ist nämlich so ...«, sagte Pu.

»Ja, also die Sache ist *so* ...«, sagte Pu.

»Verstehst du ... Es handelt sich darum, dass ...«, sagte Pu und etwas schien ihm zu sagen, dass er nicht sehr gut erklär-te, und wieder gab er Ferkel einen Stups.

»Es ist nämlich so ...«, sagte Ferkel schnell. »Nur wärmer«, fügte es nach tiefem Nachdenken hinzu.

»Was ist wärmer?«

»Die andere Seite des Waldes, wo I-Ahs Haus steht.«

»*Mein* Haus?«, sagte I-Ah. »Mein Haus war hier.«

»Nein«, sagte Ferkel mit fester Stimme. »Auf der anderen Seite des Waldes.«

»Weil es wärmer ist«, sagte Pu.

»Aber ich *weiß* doch wohl ...«

»Komm, und sieh's dir an«, sagte Ferkel schlicht und ging voraus.

»Es gibt doch wohl keine *zwei* Häuser«, sagte Pu. »Nicht so nah beieinander.«

Sie kamen um die Ecke und da stand I-Ahs Haus, so gemütlich wie nur etwas.

»Na bitte«, sagte Ferkel.

»Innen und außen«, sagte Pu stolz.

I-Ah ging hinein … und kam wieder heraus.

»Das ist wirklich bemerkenswert«, sagte er. »Es *ist* mein Haus, und ich habe es da gebaut, wo ich gesagt habe, also muss es der Wind hierher geblasen haben. Und der Wind hat es direkt über den Wald geblasen und hier heruntergeblasen, und hier steht es so gut wie eh und je. Sogar teilweise besser.«

»Viel besser«, sagten Pu und Ferkel gleichzeitig.

»Das zeigt nur, was man erreichen kann, wenn man sich ein bisschen Mühe gibt«, sagte I-Ah. »Siehst du, Pu? Siehst du,

Ferkel? Erst den Verstand gebrauchen und dann ordentlich zupacken. Seht euch das an! *So* muss man Häuser bauen«, sagte I-Ah stolz.

So ließen sie I-Ah in seinem Haus, und Christopher Robin ging mit seinen Freunden Pu und Ferkel Mittag essen, und auf dem Weg erzählten sie ihm von dem grässlichen Fehler, den sie gemacht hatten. Und als Christopher Robin mit Lachen fertig war, sangen sie alle das Lied, das man im Freien

und im Schnee singen muss, bis sie zu Hause waren, wobei Ferkel, weil es nicht wusste, ob seine Stimme es nicht im Stich lassen würde, wieder die Tideli-poms beisteuerte.

»Ich weiß zwar, dass es sich ganz leicht *anhört*«, sagte Ferkel bei sich, »aber *jeder* könnte es nicht.«

ZWEITES KAPITEL

In welchem Tieger in den Wald kommt und frühstückt

Winnie-der-Pu wachte plötzlich mitten in der Nacht auf und lauschte. Dann stieg er aus dem Bett und zündete seine Kerze an und stapfte durch das Zimmer um zu sehen, ob jemand versuchte seinen Honigschrank aufzumachen, aber das hatten sie gar nicht vor, und deshalb stapfte er wieder zurück, blies seine Kerze aus und ging ins Bett. Dann hörte er den Lärm wieder.

»Bist du das, Ferkel?«, sagte er.

Aber Ferkel war es nicht.

»Komm herein, Christopher Robin«, sagte er.

Aber Christopher Robin kam nicht.

»Sag es mir morgen, I-Ah«, sagte Pu verschlafen.

Aber der Lärm ging weiter.

»*Worraworraworraworraworra*«, sagte Was-es-auch-war und Pu fand, dass er überhaupt nicht schlief.

Was kann es sein?, dachte er. Es gibt jede Menge Geräusche im Wald, aber dies ist anders. Es ist kein Knurren, und es ist kein Schnurren, und es ist kein Bellen, und es ist nicht das Geräusch-das-man-macht-bevor-man-anfängt-zu-dichten, aber irgendein Geräusch ist es, und es wird von einem fremdartigen Tier gemacht. Also werde ich aufstehen und es bitten es nicht zu machen.

Er stieg aus dem Bett und öffnete die Haustür.

»Hallo!«, sagte Pu für den Fall, dass dort draußen etwas war.

»Hallo!«, sagte Was-es-auch-war.

»Oh!«, sagte Pu. »Hallo!«

»Hallo!«

»Ach, *da* bist du!«, sagte Pu. »Hallo!«

»Hallo!«, sagte das fremdartige Tier, das sich fragte, wie lange dies wohl noch so weitergehen würde.

Pu wollte gerade zum vierten Mal »Hallo!« sagen, als er dachte, dass er das eigentlich doch nicht wollte, und deshalb sagte er stattdessen: »Wer ist da?«

»Ich«, sagte eine Stimme.

»Ach!«, sagte Pu. »Dann komm doch mal her.«

Also kam Was-es-auch-war her und im Licht der Kerze sahen Es und Pu einander an.

»Ich bin Pu«, sagte Pu.

»Ich bin Tieger«, sagte Tieger.

»Ach!«, sagte Pu, denn so ein Tier hatte er noch nie gesehen.

»Weiß Christopher Robin, dass du da bist?«

»Natürlich«, sagte Tieger.

»Tja«, sagte Pu, »es ist mitten in der Nacht und das ist eine gute Zeit zum Schlafengehen. Und morgen früh essen wir dann etwas Honig zum Frühstück. Mögen Tieger Honig?«

»Sie mögen alles«, sagte Tieger vergnügt.

»Wenn sie auch Fußböden mögen und gern drauf schlafen, werde ich wieder ins Bett gehen«, sagte Pu, »und morgen früh machen wir dann Sachen. Gute Nacht.« Und er ging wieder ins Bett und schlief ganz schnell ein.

Als er am Morgen aufwachte, war Tieger das Erste, was er sah, und Tieger saß vor dem Spiegel und betrachtete sich.

»Hallo!«, sagte Pu.

»Hallo!«, sagte Tieger. »Ich habe jemanden gefunden, der genauso ist wie ich. Ich dachte, ich wäre der Einzige.«

Pu kam aus dem Bett und begann zu erklären, was ein Spiegel ist, aber als er gerade an die interessante Stelle kam, sagte Tieger:

»Entschuldige mich einen Augenblick, aber da klettert etwas auf deinen Tisch«, und mit einem lauten *Worraworraworra- worraworra* sprang er das Tischtuch an, zerrte es zu Boden, wickelte sich dreimal darin ein, wälzte sich quer durchs Zimmer und steckte, nach einem schrecklichen Kampf, den Kopf wieder ans Tageslicht und sagte wohlgemut: »Habe ich gesiegt?«

»Das ist mein Tischtuch«, sagte Pu, als er sich daranmachte Tieger wieder auszuwickeln.

»Ich habe mich schon gefragt, was es war«, sagte Tieger.

»Es gehört auf den Tisch und man stellt Sachen drauf.«

»Warum hat es dann versucht mich zu beißen, als ich nicht hingekuckt habe?«

»Ich *glaube* nicht, dass es das getan hat«, sagte Pu.

»Jedenfalls versucht«, sagte Tieger, »aber ich war ihm zu schnell.«

Pu legte das Tuch wieder auf den Tisch, und auf das Tuch stellte er einen großen Honigtopf, und sie setzten sich hin um zu frühstücken. Und sobald sie saßen, nahm Tieger einen großen Mundvoll Honig … Und er legte den Kopf schief und sah mit einem Auge zur Zimmerdecke hinauf und machte forschende Geräusche mit der Zunge und dann nachdenkliche Geräusche und dann Was-haben-wir-denn-*hier*-Geräusche … Und dann sagte er mit sehr entschiedener Stimme: »Tieger mögen keinen Honig.«

»Ach!«, sagte Pu und versuchte es so klingen zu lassen, als bedauere er dies zutiefst. »Ich dachte, sie mögen alles.«

»Alles außer Honig«, sagte Tieger.

Darüber war Pu ganz froh und er sagte, sobald er mit seinem

eigenen Frühstück fertig sei, würde er Tieger mit zu Ferkel nehmen, und Tieger könne dort ein paar von Ferkels Heicheln versuchen.

»Ich danke dir, Pu«, sagte Tieger, »denn Heicheln mögen Tieger eigentlich am liebsten.«

Nach dem Frühstück gingen sie also Ferkel besuchen und auf dem Weg dorthin erklärte Pu, dass Ferkel ein sehr kleines Tier sei, das etwas gegen Ungestüm habe, und er bat Tieger nicht gleich zu ungestüm zu sein. Und Tieger, der sich hinter Bäumen versteckt und auf Pus Schatten gestürzt hatte, wenn der Schatten gerade nicht hinkuckte, sagte, Tieger seien nur vor dem Frühstück ungestüm und würden, sobald sie ein paar Heicheln genossen hätten, leise und geziert. Und irgendwann klopften sie dann an Ferkels Haustür.

»Hallo, Pu«, sagte Ferkel.

»Hallo Ferkel. Das ist Tieger.«

»Ach, wirklich?«, sagte Ferkel und stahl sich auf die andere Seite des Tisches. »Ich dachte, Tiger wären kleiner.«

»Die großen nicht«, sagte Tiger.

»Sie mögen Heicheln«, sagte Pu, »und das ist auch der Grund unseres Besuchs, denn der arme Tiger hat noch nicht gefrühstückt.«

Ferkel schob Tiger den Teller mit den Heicheln hin und sagte: »Greif zu«, und dann rückte es ganz nah an Pu heran und fühlte sich schon viel tapferer und sagte »Du bist also Tiger? So, so!« mit einer richtig unbekümmerten Stimme. Aber Tiger sagte gar nichts, weil sein Mund voller Heicheln war ...

Nachdem er lange und laut gemampft hatte, sagte er:

»Ie-er ö-e ei-e Ei-hen.«

Und als Pu und Ferkel »Was?« sagten, sagte er: »Schuwigum« und ging kurz nach draußen.

Als er zurückkam, sagte er mit fester Stimme:

»Tiger mögen keine Heicheln.«

»Aber du hast gesagt, sie mögen alles außer Honig«, sagte Pu.

»Alles außer Honig *und* Heicheln«, erklärte Tiger.

Als er dies hörte, sagte Pu: »Ah, verstehe!«, und Ferkel, das ganz froh darüber war, dass Tiger keine Heicheln mögen, sagte: »Und wie ist es mit Disteln?«

»Disteln«, sagte Tiger, »mögen Tiger am liebsten.«

»Dann gehen wir doch einfach mal I-Ah besuchen«, sagte Ferkel.

Also gingen die drei los; und nachdem sie gegangen und gegangen waren, kamen sie in den Teil des Waldes, in dem I-Ah wohnte.

»Hallo, I-Ah!«, sagte Pu. »Das ist Tiger.«

»Was ist?«, sagte I-Ah.

»Das«, erklärten Pu und Ferkel gleichzeitig, und Tieger lächelte sein glücklichstes Lächeln und sagte nichts.

I-Ah ging einmal ganz um Tieger herum und dann drehte er sich um und ging noch einmal in der anderen Richtung um ihn herum.

»Was, hast du gesagt, ist das?«, fragte er.

»Tieger.«

»Aha!«, sagte I-Ah wieder.

Er dachte längere Zeit nach und sagte dann:

»Und wann reist er wieder ab?«

Pu erklärte I-Ah, Tieger sei ein spezieller Freund von Christopher Robin, der für immer in den Wald gekommen sei, und Ferkel erklärte Tieger, er dürfe das, was I-Ah sage, nicht allzu ernst nehmen, denn I-Ah sei *immer* so düster gestimmt; und I-Ah erklärte Ferkel, er sei, ganz im Gegenteil, heute Morgen allerbester Laune; und Tieger erklärte jedem, der es hören wollte, er habe heute Morgen noch nicht gefrühstückt.

»Ich wusste doch, da war noch was«, sagte Pu. »Tieger essen immer Disteln; das ist der Grund unseres Besuchs, I-Ah.«

»Schon gut, Pu, keine Ursache.«

»Ach, I-Ah, damit meine ich doch nicht, dass wir dich nicht sowieso besucht hätten ...«

»Geschenkt, geschenkt. Aber euer neuer gestreifter Freund ... Naturgemäß will er ein Frühstück. Wie hieß er noch gleich?«

»Tieger.«

»Dann folge mir bitte, Tieger.«

I-Ah ging voran und führte ihn zu einer Stelle, an der Disteln wuchsen, und diese Stelle sah disteliger aus als jede andere

Stelle der Welt, und auf diese Stelle zeigte I-Ah mit dem Huf.
»Eine kleine Stelle, die ich mir für meinen Geburtstag aufge-
spart habe«, sagte er, »aber was *sind*, wenn man's bedenkt,
schon Geburtstage? Sie währen nur einen Tag und sind mor-
gen schon vergessen. Greif zu, Tieger.«
Tieger dankte ihm und sah etwas besorgt zu Pu hinüber.
»Sind das wirklich Disteln?«, flüsterte er.
»Ja«, sagte Pu.
»Das, was Tieger am liebsten mögen?«
»Stimmt«, sagte Pu.
»Verstehe«, sagte Tieger.

Also nahm er einen großen Mundvoll und biss laut und herz-
haft zu. »*Au!*«, sagte Tieger.
Er setzte sich und steckte die Pfote in den Mund.
»Was ist los?«, fragte Pu.
»*Scharf!*« murmelte Tieger.
»Dein Bekannter«, sagte I-Ah, »scheint auf eine Biene gebis-
sen zu haben.«
Pus Bekannter hörte auf, den Kopf zu schütteln um die Sta-
cheln loszuwerden, und erklärte, dass Tieger keine Disteln
mögen.

»Du hast aber doch gesagt«, begann Pu, »*gesagt* hast du, dass Tieger alles mögen, außer Honig und Heicheln.«

»*Und* Disteln«, sagte Tieger, der jetzt im Kreis herumlief, immer wieder herum, mit hängender Zunge.

Pu sah ihn traurig an.

»Was sollen wir bloß machen?«, fragte er Ferkel.

Ferkel wusste die richtige Antwort und es sagte sofort, sie müssten Christopher Robin besuchen.

»Ihr werdet ihn bei Känga finden«, sagte I-Ah. Er trat nah an Pu heran und sagte in lautem Flüsterton:

»*Könntest* du deinen Bekannten bitten seine Turnübungen woanders zu veranstalten? Ich möchte nämlich gleich Mittag essen, und ich mag es nicht, wenn man auf meinen Mahlzeiten herumtrampelt, kurz bevor ich sie zu mir nehmen will. Eine Nebensächlichkeit und ich sollte auch nicht so viel Aufhebens davon machen, aber wir haben alle unsere kleinen Eigenheiten.«

Pu nickte feierlich und rief nach Tieger.

»Komm, wir gehen hier weg und besuchen Känga. Sie hat bestimmt jede Menge Frühstück für dich.«

Tieger beendete seinen letzten Kreis und kam zu Pu und Ferkel.

»Scharf!«, erklärte er strahlend. »Kommt mit!« Und er sauste los.

Pu und Ferkel gingen ihm langsam nach. Und als sie so gingen, sagte Ferkel nichts, weil ihm nichts zum Sagen einfiel, und Pu sagte nichts, weil ihm gerade ein Gedicht einfiel. Und als es ihm eingefallen war, fing er an:

»Was machen wir nur mit dem Tieger-Vieh?
Wenn es nie etwas isst, dann wächst es auch nie.
Disteln, Honig und Heicheln, die mag er nicht,
Teils weil es nicht schmeckt, und teils weil es sticht.
Und alles, was einem Tier gut schmeckt,
Hat den falschen Schluck- oder Stacheleffekt.«

»Eigentlich ist er sowieso groß genug«, sagte Ferkel.
»Aber *so* groß ist er gar nicht.«
»Er *kommt* einem aber so *vor*.«
Das stimmte Pu nachdenklich und dann murmelte er vor sich hin:

»Doch egal, was er wiegt in Pfund, Schilling und Gramm:
Er wirkt größer, denn er macht ständig Tamtam.«

»Und das ist das ganze Gedicht«, sagte er. »Gefällt es dir, Ferkel?«
»Alles bis auf die Schillinge«, sagte Ferkel. »Ich finde, sie haben da nichts zu suchen.«
»Sie wollten nach den Pfunden mit rein«, erklärte Pu, »und da habe ich sie gelassen. Das ist die beste Art Gedichte zu schreiben, indem man die Sachen einfach kommen lässt.«
»Ach, das wusste ich nicht«, sagte Ferkel.
Tieger war die ganze Zeit vor ihnen hergesprungen und hatte sich hin und wieder umgedreht um »Ist es hier richtig?« zu fragen, und nun kam allmählich Kängas Haus in Sicht, und dort war auch Christopher Robin. Tieger rannte auf ihn zu.
»Ach, da bist du ja, Tieger!«, sagte Christopher Robin. »Ich wusste doch, dass du irgendwo bist.«

»Ich habe Sachen im Wald gefunden«, sagte Tieger gewichtig. »Ich habe einen Pu und ein Ferkel und einen I-Ah gefunden, aber ich kann keinerlei Frühstück finden.«

Pu und Ferkel kamen und umarmten Christopher Robin und erklärten, was geschehen war.

»Weißt *du* denn nicht, was Tieger mögen?«, fragte Pu.

»Ich nehme an, wenn ich scharf nachdächte, wüsste ich es«, sagte Christopher Robin, »aber ich *dachte*, Tieger wüsste das.«

»Weiß ich auch«, sagte Tieger. »Alles, was es gibt auf der Welt, außer Honig und Heicheln und ... Wie heißen diese scharfen Dinger?«

»Disteln.«

»Genau. Außer denen.«

»Tja, dann kann dir Känga sicher ein Frühstück geben.«

Also gingen sie in Kängas Haus, und als Ruh je einmal »Hallo Pu!« und »Hallo, Ferkel!« gesagt hatte und »Hallo, Tieger!« zweimal, weil es das noch nie gesagt hatte und weil es sich komisch anhörte, sagten sie Känga, was sie wollten, und Känga sagte sehr freundlich: »Dann sieh doch mal in meinem Schrank nach, lieber Tieger, und such dir aus, was du magst.« Denn sie wusste sofort, dass Tieger, auch wenn er größer wirkte, so viel Freundlichkeit wie Ruh brauchte.

»Soll ich auch mal nachsehen?«, fragte Pu, dem ein wenig nach elf Uhr zu Mute zu werden begann. Und er fand eine Büchse Dosenmilch, und irgendetwas schien ihm zu sagen, dass Tieger so was nicht mögen, weshalb er sie in eine stille Ecke trug und sich vorsichtshalber dazusetzte, damit sie von niemandem gestört werden konnte.

Aber je mehr Tieger seine Nase in dies und seine Pfote in jenes

steckte, desto mehr Sachen fand er, die Tieger nicht mögen. Und als er alles gefunden hatte, was im Schrank war, und als nichts dabei war, was er essen konnte, sagte er zu Känga: »Und was passiert jetzt?«

Aber Känga und Christopher Robin und Ferkel standen alle um Ruh herum und beobachteten, wie es seinen Malzextrakt einnahm. Und Ruh sagte: »Muss ich wirklich?«, und Känga sagte: »Aber Ruh, mein Schatz, du weißt doch, was du mir versprochen hast.«

»Was ist das?«, flüsterte Tieger Ferkel zu.

»Ruhs Stärkungsmedizin«, sagte Ferkel. »Es kann sie nicht leiden.«

Also kam Tieger näher, und er beugte sich vor, über Ruhs Stuhllehne, und plötzlich steckte er die Zunge heraus und machte einen großen Hahahaps, und Känga, die vor Überraschung in die Luft gesprungen war, sagte »Oh!« und hatte den Löffel wieder ganz fest im Griff, als dieser gerade verschwinden wollte, und dann zog sie ihn aus Tiegers Mund heraus und brachte ihn in Sicherheit. Aber der Malzextrakt war weg.

»Aber *lieber* Tieger!«, sagte Känga.

»Er hat meine Medizin eingenommen, er hat meine Medizin eingenommen!«, sang Ruh glücklich und fand das alles ungeheuer spaßig.

Dann blickte Tieger zur Zimmerdecke hinauf und schloss die Augen und seine Zunge wanderte immer wieder über seine Backen, für den Fall, dass er draußen noch etwas vergessen hatte, und ein friedvolles Lächeln kam über sein Gesicht, als er sagte: »Also *das* mögen Tieger!«

Und das erklärt auch, warum er danach für alle Zeiten bei Känga wohnte und Malzextrakt einnahm, zum Frühstück, zum Mittagessen und zum Tee. Und manchmal, wenn Känga fand, dass er eine kleine Stärkung gebrauchen konnte, nahm er nach den Mahlzeiten noch einen oder zwei Esslöffel Ruhfrühstück als Medizin.

»Aber ich finde«, sagte Ferkel zu Pu, »dass er gestärkt genug ist.«

Drittes Kapitel

In welchem eine Nachforschung organisiert wird und Ferkel beinahe das Heffalump wieder trifft

Pu saß eines Tages in seinem Haus und zählte seine Honigtöpfe, als an die Tür geklopft wurde.

»Vierzehn«, sagte Pu. »Herein. Vierzehn. Oder waren es fünfzehn? So ein Mist. Jetzt bin ich ganz durcheinander.«

»Hallo, Pu«, sagte Kaninchen.

»Hallo, Kaninchen. Es waren doch vierzehn, oder?«

»Vierzehn was?«

»Meine Honigtöpfe, die ich gerade gezählt habe.«

»Vierzehn, stimmt.«

»Bist du sicher?«

»Nein«, sagte Kaninchen. »Ist das wichtig?«

»Ich hätte es nur gern gewusst«, sagte Pu bescheiden. »Damit ich mir sagen kann: ›Jetzt habe ich noch vierzehn Töpfe Honig.‹ Oder fünfzehn, je nachdem. Es ist irgendwie beruhigend.«

»Dann sagen wir mal sechzehn«, sagte Kaninchen. »Ich wollte aber eigentlich etwas ganz anderes sagen: Hast du Klein irgendwo gesehen?«

»Ich glaube nicht«, sagte Pu. Und dann, nachdem er noch ein bisschen mehr nachgedacht hatte, sagte er: »Wer ist Klein?«

»Einer meiner Bekannten-und-Verwandten«, sagte Kanin-

chen leichthin. Dies war keine große Hilfe für Pu, denn Kaninchen hatte so viele Bekannte-und-Verwandte, dass er nicht wusste, ob er Klein auf dem Wipfel einer Eiche oder im Kelch einer Butterblume suchen sollte.

»Ich habe heute noch niemanden gesehen«, sagte Pu, »jedenfalls nicht so, dass ich ›Hallo, Klein!‹ zu ihm hätte sagen können. Brauchst du ihn für irgendwas?«

»*Brauchen? Ich* nicht«, sagte Kaninchen. »Aber es ist immer nützlich, wenn man weiß, wo ein Bekannter-und-Verwandter *ist*, ob man ihn nun braucht oder nicht.«

»Ah, verstehe«, sagte Pu. »Ist er verloren gegangen?«

»Tja«, sagte Kaninchen, »seit einiger Zeit hat ihn niemand mehr gesehen, und deshalb nehme ich an, dass er verloren gegangen ist. Aber wie dem auch sei«, fuhr Kaninchen bedeutsam fort, »ich habe Christopher Robin versprochen eine Nachforschung zu organisieren, also komm schon.«

Pu verabschiedete sich zärtlich von seinen vierzehn Honigtöpfen und hoffte, dass es fünfzehn waren; dann ging er mit Kaninchen in den Wald hinaus.

»Also«, sagte Kaninchen, »dies ist eine Nachforschung und ich habe sie organisiert ...«

»Was hast du damit gemacht?«, fragte Pu.

»Sie organisiert. Das bedeutet ... Also, es ist das, was man mit einer Nachforschung macht, damit nicht alle gleichzeitig an derselben Stelle suchen. Ich möchte also, dass *du*, Pu, zuerst bei den Sechs Kiefern nachforschst und dich dann bis zu Eules Haus vorarbeitest und dort nach mir Ausschau hältst. Verstehst du?«

»Nein«, sagte Pu. »Was ...«

»Dann treffe ich dich also in etwa einer Stunde bei Eule.«

»Ist Ferkel auch organisiert?«

»Das sind wir alle«, sagte Kaninchen und eilte davon.

Sobald Kaninchen verschwunden war, fiel Pu wieder ein, dass er vergessen hatte zu fragen, wer Klein war und ob er die Art Bekannter-und-Verwandter war, die sich bei einem auf der Nase niederlässt, oder die Sorte, auf die man aus Versehen drauftritt, und weil es nun zu spät war, fand er, er könne die Jagd damit beginnen, dass er Ferkel suchte und dann fragte, was sie suchten, bevor er es suchte.

»Und es hat keinen Sinn, Ferkel bei den Sechs Kiefern zu suchen«, sagte sich Pu, »weil es ja an einer eigenen, speziellen Stelle organisiert ist. Deshalb muss ich zuerst die Spezielle Stelle suchen. Ich frage mich, wo die ist.«

Und so schrieb er es in seinem Kopf auf:

WIE MAN SACHEN SUCHT. REIHENFOLGE.

1. Spezielle Stelle. *(Um Ferkel zu finden.)*
2. Ferkel. *(Um herauszufinden, wer Klein ist.)*
3. Klein. *(Um Klein zu finden.)*

4. Kaninchen. *(Um ihm zu sagen, dass ich Klein ge-*
funden habe.)

5. Noch mal Klein. *(Um ihm zu sagen, dass ich Kaninchen*
gefunden habe.)

Was insgesamt nach einem ziemlich mistigen Tag aussieht,
dachte Pu, als er losstapfte.

Im nächsten Augenblick wurde der Tag tatsächlich sehr mis-
tig, denn Pu war so damit beschäftigt, nicht darauf zu achten, wohin er ging, dass er auf ein Stück Wald trat, das aus
Versehen ausgelassen worden war; und er konnte nur noch
ganz schnell denken: Ich fliege. Genau wie Eule. Ich wüsste
gern, wie man damit aufhört – als er auch schon damit auf-
hörte.

Bauz!

»Au!«, quiekte jemand.

Das ist komisch, dachte Pu. Ich habe »Au!« gesagt ohne »Au!« gesagt zu haben.

»Hilfe!«, sagte eine kleine, hohe Stimme.

Das bin ich schon wieder, dachte Pu. Ich hatte einen Unfall und bin in einen Brunnen gefallen, und jetzt quiekt meine Stimme nur noch und geht los, bevor *ich* so weit bin, weil ich mir innerlich etwas angetan habe. So ein Mist!

»Hilfe! Hilfe!«

Na, bitte! Ich sage Sachen, wenn ich es nicht mal versuche. Es muss also ein sehr schwerer Unfall gewesen sein. Und dann dachte er, dass er vielleicht, wenn er versuchte Sachen zu sagen, nicht dazu in der Lage wäre; also, um sicherzugehen, sagte er laut: »Pu Bär hatte einen schweren Unfall.«

»Pu!«, quiekte die Stimme.

»Es ist Ferkel!«, schrie Pu aufgeregt. »Wo bist du?«

»Drunter«, sagte Ferkel irgendwie von unten herauf.

»Unter was?«

»Dir!«, quiekte Ferkel. »Steh auf!«

»Oh!«, sagte Pu und rappelte sich so schnell wie möglich auf. »Bin ich auf dich gefallen, Ferkel?«

»Du bist auf mich gefallen«, sagte Ferkel und betastete sich überall.

»Das wollte ich nicht«, sagte Pu bekümmert.

»Ich wollte auch nicht drunter sein«, sagte Ferkel traurig. »Aber es geht mir schon wieder viel besser, Pu, und ich bin ja *so* froh, dass du es warst.«

»Was ist denn passiert?«, sagte Pu. »Wo sind wir?«

»Ich glaube, wir sind in einer Art Grube. Ich ging so vor mich hin und suchte jemanden, und dann suchte ich plötzlich niemanden mehr, und gerade als ich aufstand um zu sehen, wo ich war, fiel etwas auf mich. Und das warst du.«

»So war das also«, sagte Pu.

»Ja«, sagte Ferkel. »Pu«, fuhr es nervös fort und kam ein wenig näher, »glaubst du, wir sitzen in einer Falle?«

Pu hatte noch überhaupt nicht darüber nachgedacht, aber jetzt nickte er. Denn plötzlich fiel ihm ein, wie er mit Ferkel einst eine Pu-Falle für Heffalumps gebaut hatte, und er konnte sich vorstellen, was geschehen war. Er und Ferkel waren in eine Heffalump-Falle für Pus gefallen! Das war es nämlich.

»Was passiert, wenn das Heffalump kommt?«, fragte Ferkel bebend, als es die Nachricht gehört hatte.

»Vielleicht wird es *dich* nicht bemerken, Ferkel«, sagte Pu aufmunternd, »denn du bist ein sehr kleines Tier.«

»Aber *dich* wird es bemerken, Pu.«

»Es wird *mich* bemerken und ich werde *es* bemerken«, sagte Pu, der dies gründlich durchdachte. »Wir werden einander längere Zeit bemerken, und dann wird es sagen: ›Ho-*ho!*‹«

Beim Gedanken an dieses »Ho-*ho!*« schauderte es Ferkel ein bisschen und seine Ohren begannen zu zucken.

»W-was wirst *du* sagen?«, fragte es.

Pu versuchte sich etwas auszudenken, was er sagen könnte, aber je mehr er dachte, desto mehr fand er, dass es keine rechte Antwort auf ein »Ho-*ho!*«, gibt, wenn es von einem Heffalump gesagt wird, noch dazu mit der Stimme, mit der dies Heffalump es sagen würde. »Ich werde gar nichts sagen«, sagte Pu schließlich. »Ich werde einfach vor mich hin summen, als wartete ich auf etwas.«

»Dann sagt es vielleicht wieder ›Ho-*ho!*‹«, gab Ferkel zu bedenken.

»Ganz bestimmt«, sagte Pu.

Ferkels Ohren zuckten so heftig, dass es sich mit den Ohren gegen die Wand der Falle lehnen musste um sie ruhig zu halten.

»Es wird es wieder sagen«, sagte Pu, »und ich werde weitersummen. Und das wird es aus der Fassung bringen. Denn wenn man zweimal ›Ho-*ho!*‹ sagt, so irgendwie hämisch, und der andere, zu dem man es sagt, summt nur, dann findet man plötzlich, wenn man es gerade zum dritten Mal sagen will, dass ... dass ... Dann findet man ...«

»Was?«

»Dass es nicht ist«, sagte Pu.

»Was nicht ist?«

Pu wusste, was er meinte, aber da er ein Bär von sehr wenig Verstand war, fielen ihm die Worte nicht ein.

»Na ja, dass es eben nicht ist«, sagte er wieder.

»Du meinst, dass es nicht mehr ho-*ho*-ig ist?«, fragte Ferkel hoffnungsfroh.

Pu sah Ferkel bewundernd an und sagte, das sei genau, was er gemeint habe – wenn jemand die ganze Zeit summte, denn man konnte ja schlecht *ständig* »ho-*ho!*« sagen.

»Aber es wird etwas anderes sagen«, sagte Ferkel.

»Genau. Es wird sagen: »Was ist *das* denn?‹ Und dann werde *ich* sagen – und diese Idee, auf die ich gerade gekommen bin, Ferkel, ist wirklich sehr gut –, *ich* werde sagen: ›Das ist eine Falle für ein Heffalump, welche ich gebaut habe, und nun warte ich darauf, dass das Heffalump hineinfällt.‹ Und dann werde ich weiter summen. Das wird es verstören.«

»Pu!«, schrie Ferkel, und nun war es selbst mit Bewundern an der Reihe. »Du hast uns gerettet!«

»Wirklich?«, fragte Pu, der nicht so sicher war.

Aber Ferkel war ganz sicher; und im Geiste sah es alles schon vor sich, und es sah, wie Pu und das Heffalump miteinander sprachen, und plötzlich dachte es, und das dachte es ein bisschen traurig, dass es doch ziemlich schön gewesen *wäre*, wenn Ferkel und das Heffalump so großartig miteinander gesprochen hätten, Ferkel und nicht Pu, so sehr es Pu auch liebte; denn es hatte ja wirklich mehr Verstand als Pu, und das Gespräch würde ja auch besser verlaufen, wenn es die eine Hälfte davon bestritte, es, Ferkel, und nicht Pu, und danach an den langen Abenden wäre es beruhigend auf den Tag zurückzublicken, als es einem Heffalump so patzige Antworten gegeben hatte, als wäre das Heffalump gar nicht da. Es kam ihm jetzt so einfach vor. Es wusste genau, was es sagen würde:

HEFFALUMP *(hämisch)*: »Ho-*ho!*«
FERKEL *(unbekümmert)*: »Tral-la-la, tral-la-la.«

HEFFALUMP *(erstaunt und nicht mehr ganz so selbstsicher)*: »Ho-*ho!*«

FERKEL *(noch unbekümmerter)*: »Tidelum-tum, tidelum-tum.«

HEFFALUMP *(zu einem Ho-ho ansetzend, stattdessen aber verlegen hüstelnd)*: »H'r'm! Was ist *das* denn?«

FERKEL *(überrascht)*: »Hallo! Das ist eine Falle, die ich gebaut habe, und nun warte ich darauf, dass ein Heffalump hineinfällt.«

HEFFALUMP *(schwer enttäuscht)*: »Oh!« *(Nach langem Schweigen)*: »Bist du sicher?«

FERKEL: »Ja.«

HEFFALUMP: »Oh!« *(nervös)*: »Ich ... Ich dachte, es wäre eine Falle, die *ich* gebaut habe um Ferkel zu fangen.«

FERKEL *(überrascht)*: »Aber nein!«

HEFFALUMP: »Oh!« *(begütigend)*: »Dann ... Dann muss ich es falsch verstanden haben.«

FERKEL: »Das fürchte ich auch.« *(höflich)*: »Tut mir Leid.« *(Es summt weiter.)*

HEFFALUMP: »Tja ... Äh ... Ich ... Äh. Dann gehe ich wohl am besten wieder weg, oder?«

FERKEL *(unbekümmert nach oben blickend)*: »Jetzt schon? Nun, wenn du Christopher Robin irgendwo siehst, kannst du ihm vielleicht ausrichten, dass ich ihn sprechen möchte.«

HEFFALUMP *(jederzeit gern behilflich)*: »Gewiss! Gewiss!« *(Eilig ab.)*

PU *(der eigentlich nicht vorkommen sollte, ohne den es jetzt aber doch nicht geht)*: »Ach, Ferkel, wie tapfer und schlau du bist!«

FERKEL *(bescheiden)*: »Nicht der Rede wert, Pu. «*(Und*

dann, wenn Christopher Robin kommt, kann Pu ihm die ganze Geschichte berichten.)

Während Ferkel seinen frohen Traum träumte und während Pu sich wieder fragte, ob es vierzehn oder fünfzehn waren, ging im ganzen Wald die Suche nach Klein weiter. Klein hieß in Wirklichkeit Sehr Kleiner Käfer, aber man nannte ihn nur Klein, wenn man überhaupt mit ihm sprach, was so gut wie nie geschah, außer wenn jemand sagte: »Klein! Aber *wirklich!*« Er war ein paar Sekunden bei Christopher Robin gewesen, und er wollte um einen Stechginsterbusch laufen um sich etwas Bewegung zu verschaffen, aber anstatt wie erwartet auf der anderen Seite wieder zum Vorschein zu kommen, war er nicht zum Vorschein gekommen, und deshalb wusste niemand, wo er war.

»Ich könnte mir vorstellen, dass er einfach nach Hause gegangen ist«, sagte Christopher Robin zu Kaninchen.

»Hat er Vielen-Dank-auf-Wiedersehen-es-war-sehr-schön gesagt?«, fragte Kaninchen.

»Er hat nur Guten-Tag-wie-geht's gesagt«, sagte Christopher Robin.

»Ha!«, sagte Kaninchen. Und nachdem es ein wenig nachgedacht hatte, fuhr es fort: »Hat er einen Brief geschrieben, wie gut es ihm gefallen hat und wie Leid es ihm tut, dass er so plötzlich aufbrechen musste?«

Christopher Robin glaubte nicht, dass er das getan hatte.

»Ha!«, sagte Kaninchen wieder und sah sehr wichtig aus.

»Das ist ernst. Er ist verschwunden. Wir müssen sofort mit der Nachforschung beginnen.«

Christopher Robin, der an etwas anderes dachte, sagte: »Wo ist Pu?« Aber Kaninchen war schon weg. Also ging er in sein Haus und zeichnete ein großes Bild von Pu, wie er gegen sieben Uhr morgens einen langen Spaziergang macht, und dann kletterte er auf seinen Baum, und dann kletterte er wieder herunter, und dann fragte er sich, was Pu wohl machte, und dann ging er quer durch den Wald um nachzusehen.

Bald kam er an die Kiesgrube, und er sah hinunter, und da waren Pu und Ferkel. Sie hatten ihm den Rücken zugekehrt und träumten froh vor sich hin.

»Ho-*ho*!«, sagte Christopher Robin laut und plötzlich.

Ferkel sprang vor Überraschung und Angst anderthalb Meter hoch in die Luft, aber Pu träumte weiter.

Es ist das Heffalump!, dachte Ferkel nervös. Also los! Ferkel summte ein bisschen hinten in der Kehle, damit die Worte nicht stecken blieben, und dann sagte es auf die angenehmste Weise und völlig flüssig ohne jede erkennbare Anstrengung: »Tra-la-la, tra-la-la«, als wäre ihm das eben erst eingefallen. Aber es sah sich nicht um, denn wenn man sich umdreht und

ein sehr wildes Heffalump sieht, das auf einen herabblickt, vergisst man, was man sagen wollte.

»Rum-tum-tum-tum-tidelum«, sang Christopher Robin mit einer Stimme, die so klang wie die Stimme von Pu. Pu hatte nämlich mal ein Lied erfunden, das so ging:

> »Trallala, trallala,
> Trallala, trallala,
> Rum-tum-tum-tum-tidelum.«

Deshalb singt Christopher Robin es, wenn er es singt, immer mit einer Pu-Stimme, weil das offenbar besser dazu passt.

Es hat das Falsche gesagt, dachte Ferkel besorgt. Es hätte noch mal »Ho-*ho!*« sagen müssen. Vielleicht sollte *ich* es stattdessen sagen. Und so wild, wie es konnte, sagte Ferkel:

»Ho-*ho!*«

»Wie bist du denn *da* hineingeraten, Ferkel?«, sagte Christopher Robin mit seiner normalen Stimme.

Das ist ja fürchterlich, dachte Ferkel. Erst spricht es mit Pus Stimme, und dann spricht es mit Christopher Robins Stimme, und das tut es alles nur um mich zu verstören. Da es nun völlig verstört war, sagte es sehr schnell und quiekend: »Das ist eine Falle für Pus und ich warte darauf hineinzufallen, ho-*ho*, was ist *das* denn, und dann sage ich noch mal ›ho-*ho*‹.«

»*Was?*«, sagte Christopher Robin.

»Eine Falle für Ho-Hos«, sagte Ferkel heiser. »Ich habe sie gerade gebaut, und jetzt warte ich, dass das Ho-Ho ko-kommt.«

Wie lange Ferkel noch so weiter gemacht hätte, weiß ich nicht, aber in diesem Augenblick wachte plötzlich Pu auf und entschied, dass es sechzehn waren. Deshalb erhob er sich; und als er den Kopf wandte um sich an dieser schwierigen Stelle mitten auf dem Rücken zu kratzen, wo ihn etwas kitzelte, sah er Christopher Robin. »Hallo!«, rief er erfreut.

»Hallo, Pu.«

Ferkel hob den Kopf und senkte ihn gleich wieder. Und es kam sich so dumm und so unbehaglich vor, dass es beinahe beschlossen hätte wegzurennen und als Matrose anzuheuern, als es plötzlich etwas sah.

»Pu!«, schrie es. »Da klettert etwas deinen Rücken hinauf.«

»Ich hatte auch den Eindruck«, sagte Pu.

»Es ist Klein!«, schrie Ferkel.

»Ach, *der*«, sagte Pu.

»Christopher Robin, ich habe Klein gefunden!«, schrie Ferkel.

»Gut gemacht, Ferkel«, sagte Christopher Robin.

Und bei diesen ermutigenden Worten fühlte sich Ferkel wieder ganz froh und beschloss doch nicht Matrose zu werden.

Und nachdem Christopher Robin ihnen aus der Kiesgrube geholfen hatte, gingen sie alle Hand in Hand davon.

Und zwei Tage später traf Kaninchen zufällig I-Ah im Wald.

»Hallo, I-Ah«, sagte es, »was suchst *du* denn hier?«

»Klein natürlich«, sagte I-Ah. »Hast du denn überhaupt keinen Verstand?«

»Ach, habe ich dir das denn nicht gesagt?«, sagte Kaninchen. »Klein ist vor zwei Tagen gefunden worden.«

Einen Augenblick lang war Schweigen.

»Haha«, sagte I-Ah bitter. »Frohsinn, Tanz und was nicht alles. Du brauchst dich nicht zu entschuldigen. So *musste* es ja kommen.«

VIERTES KAPITEL

Aus welchem hervorgeht, dass Tieger nicht auf Bäume klettern

Eines Tages, als Pu gerade dachte, dachte er, er könnte sich mal auf den Weg machen und I-Ah besuchen, weil er ihn seit gestern nicht gesehen hatte. Und als er durch das Heidekraut ging und vor sich hin sang, fiel ihm plötzlich ein, dass er Eule seit vorgestern nicht gesehen hatte, und deshalb dachte er, er würde einfach mal auf dem Weg zu I-Ah im Hundertsechzig-Morgen-Wald vorbeischauen um zu sehen, ob Eule zu Hause war.

So sang er immer weiter, bis er am Bach an die Stelle gekommen war, an der die Trittsteine sind, und als er mitten auf dem dritten Stein war, begann er sich zu fragen, wie Känga und Ruh und Tieger miteinander auskamen, denn die drei wohnten gemeinsam in einem anderen Teil des Waldes. Und er dachte: Ich habe Ruh lange nicht mehr gesehen, und wenn ich Ruh heute nicht sehe, habe ich Ruh *noch* länger nicht gesehen. So setzte er sich mitten im Bach auf den Stein und sang eine weitere Strophe seines Liedes, während er sich fragte, was er nun wohl tun sollte.

Die weitere Strophe seines Liedes ging so:

> »Oh, wie wohl wär mir am Morgen
>   Mit Ruh,
> Oh, wie wohl *ist* mir am Morgen
>   Als Pu.

213

Denn es ist mir wurschtegal,
Falls ich nicht fett werd wie ein Aal
(Und ich nehme nicht zu),
   Was ich tu.«

Die Sonne war so angenehm warm, und der Stein, der schon
so lange in der Sonne gesessen hatte, war ebenfalls warm,
dass Pu beinahe beschlossen hätte, den ganzen Vormittag als
Pu in der Mitte des Baches zu verbringen, als ihm Kaninchen
einfiel.

»Kaninchen«, sagte Pu, »mit Kaninchen spreche ich richtig

gern. Es spricht über vernünftige Sachen. Es verwendet keine langen, schwierigen Wörter wie Eule. Es gebraucht kurze, leichte Wörter, zum Beispiel »Wie wär's mit einem kleinen Mittagessen?‹ oder ›Greif zu, Pu.‹ Ich glaube, ich sollte Kaninchen *wirklich* mal wieder besuchen.«

Wodurch ihm eine weitere Strophe einfiel:

> »Ja, ich hör es so gern sprechen.
> Immerzu.
> Schöner *kann* man gar nicht sprechen.
> Schubidu.
> Doch sagt Kaninchen: ›Iss nur tüchtig!‹
> Dann werd ich leider davon süchtig.
> Und ›Ich will mehr!‹
> Sagt Pu Bär.«

So stand er, als er dies gesungen hatte, von seinem Stein auf und ging durch den Bach zurück in die Richtung, wo Kaninchens Haus war.

Er war aber noch nicht weit gekommen, als er sich sagte: »Ja, aber angenommen, Kaninchen ist nicht zu Hause? Oder angenommen, ich bleibe beim Hinausgehen wieder in seinem Vordereingang stecken, wie es mir schon mal passiert ist, als sein Vordereingang nicht groß genug war?«

»Denn ich *weiß* zwar, dass ich nicht dicker werde, aber vielleicht wird sein Vordereingang immer dünner.«

»Dann wäre es nicht vielleicht besser, wenn . . .«

Und während er ununterbrochen solche Sachen sagte, ging er ohne nachzudenken in westliche Richtung – bis er plötzlich wieder vor seiner eigenen Haustür stand.

Und es war elf Uhr.

Und das war Punkt Zeit-für-einen-kleinen-Mundvoll ...

Eine halbe Stunde später tat er das, was er eigentlich immer schon vorgehabt hatte: Er stapfte zu Ferkels Haus. Und während er so ging, wischte er sich den Mund mit dem Pfotenrücken, und durch den Pelz sang er ein ziemlich haariges Lied. Es ging so:

> »Oh, wie wohl wär mir am Morgen
> Mit Ferkel.
> Ih, wie mies wär mir am Morgen
> Ohne Ferkel.
> Denn es ist mir wurschtegal,
> Ob ich Eule und I-Ah
> (Oder sonst jemanden von den andern)
> Nicht besuche,
> Und Eule oder I-Ah
> (Oder sonst jemanden von den andern)
> Werde ich nicht besuchen,
> Nicht mal Christopher Robin.«

Wenn man es so hinschreibt, sieht es gar nicht aus wie ein sehr gutes Lied, da es aber gegen halb zwölf an einem sehr sonnigen Vormittag durch viel hellbeigen Pelz kam, schien es Pu eines der besten Lieder zu sein, die er je gesungen hatte. Also sang er es immer wieder.

Ferkel grub gerade ein kleines Loch vor seinem Haus.

»Hallo, Ferkel«, sagte Pu.

»Hallo, Pu«, sagte Ferkel und sprang vor Überraschung in die Luft. »Ich wusste doch, dass du das bist.«

»Ich auch«, sagte Pu. »Was machst du da?«

»Ich pflanze eine Heichel, Pu, damit sie zu einem Heichelbaum heranwachsen kann, an dem direkt vor der Tür ganz viele Heicheln wachsen, damit ich nicht mehr meilenweit zu Fuß gehen muss, verstehst du, Pu?«

»Und wenn es nicht klappt?«, sagte Pu.

»Es klappt aber, weil Christopher Robin sagt, dass es klappt, und deshalb pflanze ich die Heichel.«

»Und«, sagte Pu, »wenn ich vor meinem Haus eine Honigwabe pflanze, wächst sie zu einem Bienenstock heran.«

Ferkel war sich da nicht so sicher.

»Oder ein *Stück* von einer Honigwabe«, sagte Pu, »damit nicht zu viel verschwendet wird. Aber vielleicht kriege ich dann nur ein Stück von einem Bienenstock und es ist vielleicht das falsche Stück, wo die Bienen herumschwirren anstatt Honig zu machen. So ein Mist.«

»Außerdem, Pu, ist es sehr schwierig, das Pflanzen, wenn man nicht weiß, wie es gemacht wird«, sagte es; und es steckte die Heichel in das Loch, das es gegraben hatte, und

bedeckte es mit Erde

und sprang darauf herum.

»Das kenne ich doch alles«, sagte Pu, »weil mir Christopher Robin Klappziehpressesamen gegeben hat, und den habe ich eingepflanzt, und bald habe ich die ganze Haustür voller Klappziehpressen.«

»Ich dachte, die heißen Kapuzinerkresse«, sagte Ferkel zaghaft und sprang weiter auf seinem Beet herum.

»Nein«, sagte Pu. »Diese nicht. Die heißen Klappziehpressen.«

Als Ferkel mit Springen fertig war, wischte es sich die Pfoten am Bauch ab und sagte: »Was machen wir jetzt?«, und Pu sagte: »Los, wir besuchen Känga und Ruh und Tieger«, und Ferkel sagte: »J-ja. L-los« – denn es war immer noch ein wenig besorgt wegen Tieger, welcher ein sehr ungestümes Tier war und eine Art hatte, Guten-Tag-wie-geht's zu sagen, dass man danach immer die Ohren voller Sand hatte, selbst nachdem Känga »Nicht so stürmisch, lieber Tieger« gesagt und einem wieder auf die Beine geholfen hatte. So machten sie sich auf den Weg zu Kängas Haus.

Nun war es aber so, dass Känga sich an jenem Morgen ziemlich mütterlich gefühlt hatte und Sachen zählen wollte – Ruhs Unterhemden zum Beispiel, und wie viele Stücke Seife übrig waren, und die beiden sauberen Stellen auf Tiegers Nuckelflasche; deshalb hatte sie die beiden weggeschickt und Ruh ein Paket mit Brunnenkresse-Stullen und Tieger ein Paket mit Malzextrakt-Stullen in die Pfote gedrückt, und damit sollten sie sich einen schönen langen Vormittag im Wald machen und keinen Unfug stiften. Und weg waren sie. Und während sie so gingen, erzählte Tieger Ruh (das so was wissen wollte) alles über die Sachen, die Tieger machen können.

»Können sie fliegen?«, fragte Ruh.

»Ja«, sagte Tieger, »sie sind sehr gute Flieger, das kann man wohl sagen. Ungewöhnlich gute Flieger.«

»Oha!«, sagte Ruh. »Können sie so gut fliegen wie Eule?«

»Ja«, sagte Tieger. »Sie haben nur keine Lust.«

»Warum haben sie keine Lust?«

»Tja, es passt ihnen einfach nicht, irgendwie.«

Das konnte Ruh nicht verstehen, weil es dachte, es müsse doch herrlich sein fliegen zu können, aber Tieger sagte, das könne man jemandem, der selbst kein Tieger sei, nur schwer erklären.

»Na gut«, sagte Ruh. »Können sie so weit springen wie Kängas?«

»Ja«, sagte Tieger, »wenn sie wollen.«

»Ich *liebe* das Springen«, sagte Ruh. »Mal sehen, wer am weitesten springen kann, du oder ich.«

»*Ich*«, sagte Tieger. »Aber wir dürfen jetzt nicht trödeln, sonst kommen wir zu spät.«

»Zu spät wohin?«

»Dahin, wohin wir rechtzeitig kommen wollen«, sagte Tieger und eilte weiter.

Nach kurzer Zeit kamen sie zu den Drei Fichten.

»Ich kann schwimmen«, sagte Ruh. »Ich bin in den Fluss gefallen und dann bin ich geschwommen. Können Tieger schwimmen?«

»Natürlich können sie schwimmen. Tieger können alles.«

»Können sie besser auf Bäume klettern als Pu?«, fragte Ruh, blieb unter der höchsten Fichte stehen und kuckte hinauf.

»Auf Bäume klettern können sie am besten«, sagte Tieger. »Viel besser als Pus.«

»Könnten sie wohl auf diesen Baum klettern?«

»Auf solche Bäume klettern sie immer«, sagte Tieger. »Rauf und runter. Den ganzen Tag.«

»Oha, Tieger, ist das *Tatsache*?«

»Ich werd's dir zeigen«, sagte Tieger tapfer, »und du kannst auf meinem Rücken sitzen und mir zukucken.« Denn von allen Sachen, die Tieger, wie er gesagt hatte, können, war Bäumeklettern plötzlich die Einzige, bei der er ganz sicher war.

»Oha, Tieger – oha, Tieger – oha, Tieger!«, quietschte Ruh aufgeregt. So setzte es sich auf Tiegers Rücken und los ging's.

Und auf den ersten drei Metern sagte Tieger froh:

»Höher, höher, immer höher!«

Und auf den nächsten drei Metern sagte er:

»Ich hab's ja *gesagt*, dass Tieger auf Bäume klettern können.«

Und auf den nächsten drei Metern sagte er:

»*Leicht* ist es allerdings nicht.«

Und auf den nächsten drei Metern sagte er:

»Man muss natürlich auch wieder runter. Noch dazu rückwärts.«

Und dann sagte er:

»Das wird dann schwierig ...«

»Es sei denn, man fällt runter ...«

»Und das wäre dann ...«

»LEICHT«

Und bei dem Wort »leicht« brach plötzlich der Ast, auf dem er stand, und es gelang ihm eben noch sich an dem Ast darüber festzuhalten, als er merkte, dass er fiel ... Und dann machte er einen Klimmzug, bis er allmählich das Kinn über den Ast gewuchtet hatte ... Und dann eine Hinterpfote – und dann die andere – bis er schließlich auf dem Ast saß und sehr schnell atmete und wünschte, er hätte sich stattdessen auf Schwimmen eingelassen.

Ruh kletterte von seinem Rücken herunter und setzte sich neben ihn.

»Toll, Tieger«, sagte es aufgeregt, »sind wir schon ganz oben?«

»Nein«, sagte Tieger.

»Klettern wir noch bis ganz oben?«

»*Nein*«, sagte Tieger.

»Och!«, sagte Ruh traurig. Und dann fuhr es hoffnungsvoll fort: »Das war aber hübsch, wie du eben so getan hast, als würden wir plumps-zack-peng runterfallen, und dann sind wir doch nicht runtergefallen. Würdest du das bitte noch mal machen?«

»NEIN«, sagte Tieger.

Ruh war eine Zeit lang still und dann sagte es: »Sollen wir jetzt unsere Stullen essen, Tieger?« Und Tieger sagte: »Ja, wo sind sie denn?« Und Ruh sagte: »Unten auf der Erde neben dem Baum.« Und Tieger sagte: »Ich finde nicht, dass es Sinn hat sie gerade jetzt zu essen.« Und da aßen sie sie nicht.

Irgendwann kamen Pu und Ferkel vorbei. Pu erzählte Ferkel mit Singstimme, es sei ihm wurschtegal, falls er nicht fett werde wie ein Aal – und er nehme nicht zu –, was er tu; und Ferkel fragte sich, wie lange es wohl dauern würde, bis seine Heichel groß und stark geworden sei.

»Sieh mal, Pu!«, schrie Ferkel plötzlich. »Da ist etwas auf einer der Fichten.«

»Tatsächlich!«, sagte Pu, der erstaunt hinaufkuckte. »Da ist ein Tier.«

Ferkel ergriff Pus Arm, falls Pu sich fürchtete.

»Ist es eins von den wilderen Tieren?«, fragte es und sah in eine andere Richtung.

Pu nickte.

»Es ist ein Jagular«, sagte er.

»Was machen Jagulare?«, fragte Ferkel und hoffte, sie würden es lassen.

»Sie verstecken sich im Geäst eines Baumes und lassen sich auf einen fallen, wenn man unten vorbeigeht«, sagte Pu. »Das hat mir Christopher Robin gesagt.«

»Dann sollten wir vielleicht lieber nicht unten vorbeigehen, Pu. Falls er sich fallen lässt und sich dabei verletzt.«

»Sie verletzen sich nicht«, sagte Pu. »Dazu sind sie viel zu gute Fallenlasser«

Ferkel fand trotzdem, es wäre ein Fehler, sich unter einem sehr guten Fallenlasser aufzuhalten, und es wollte gerade nach Hause rennen um etwas zu holen, was es vergessen hatte, als der Jagular ihnen etwas zurief. »Hilfe! Hilfe!«, rief er.

»Das machen Jagulare immer«, sagte Pu sehr interessiert. »Sie rufen ›Hilfe! Hilfe!‹, und wenn du dann zu ihnen hochkuckst, lassen sie sich auf dich fallen.«

»Ich kucke aber *hinunter!*«, schrie Ferkel laut, damit der Jagular nicht aus Versehen etwas Falsches tat.

Etwas, was sehr aufgeregt war und neben dem Jagular saß, hörte Ferkels Bemerkung und quietschte:

»Pu und Ferkel! Pu und Ferkel!«

Ganz plötzlich hatte Ferkel so ein Gefühl, als wäre dies doch ein viel schönerer Tag, als es eigentlich gedacht hatte. Es war so schön warm und die Sonne schien auch …

»Pu!«, schrie es. »Ich glaube, es sind Tieger und Ruh!«

»Tatsächlich«, sagte Pu. »Ich dachte, es wäre ein Jagular und noch ein Jagular.«

»Hallo, Ruh!«, rief Ferkel. »Was machst du denn da?«

»Wir können nicht runter, wir können nicht runter!«, schrie Ruh. »Ist das nicht toll? Pu, ist das nicht toll, Tieger und ich wohnen auf einem Baum, wie Eule, und wir werden immer und immer hier oben bleiben. Ich kann Ferkels Haus sehen. Ferkel, ich kann von hier oben dein Haus sehen. Sind wir nicht ganz schön weit oben? Wohnt Eule auch so weit oben?«

»Wie bist du da oben raufgekommen, Ruh?«, fragte Ferkel.

»Auf Tiegers Rücken! Und Tieger können nicht runterklettern, weil ihnen ihr Schwanz dabei im Wege ist, nur raufklettern, und Tieger hatte das vergessen, als wir losgeklettert sind, und das ist ihm eben erst wieder eingefallen. Deshalb müssen wir immer und immer hier bleiben – oder noch weiter rauf. Was hast du gesagt, Tieger? Ach, Tieger sagt, wenn

wir noch weiter raufklettern, können wir Ferkels Haus nicht
mehr so gut sehen und deshalb bleiben wir hier.«
»Ferkel«, sagte Pu feierlich, als er dies alles gehört hatte,
»was sollen wir tun?«
Und er begann Tiegers Stullen zu essen.
»Sitzen sie fest?«, fragte Ferkel besorgt.
Pu nickte.
»Könntest du nicht zu ihnen hinaufklettern?«

»Das könnte ich, Ferkel, und ich könnte Ruh auf dem Rücken herunterbringen, aber Tieger könnte ich nicht herunterschaffen. Deshalb müssen wir uns etwas anderes einfallen lassen.« Und nachdenklich begann er auch Ruhs Stullen zu essen.

Ob ihm etwas eingefallen wäre, bevor er die letzte Stulle aufgegessen hätte, weiß ich nicht, aber er war gerade bei der vorletzten angekommen, als es im Farn raschelte und Christopher Robin und I-Ah zusammen herangeschlendert kamen.
»Es würde mich gar nicht wundern, wenn es morgen tüchtig hagelte«, sagte I-Ah gerade. »Schneestürme und was-nicht-alles. Dass heute schönes Wetter ist, hat noch gar nichts zu sagen. Es ist in-si-gni-wie-heißt-das-Wort? Also das ist es jedenfalls. Es ist nur ein kleines Stück Wetter.«
»Da ist Pu!«, sagte Christopher Robin, dem es ziemlich gleichgültig war, *was* es morgen tat, solange er draußen und dabei war. »Hallo, Pu!«
»Da ist Christopher Robin«, sagte Ferkel. »*Er* wird wissen, was wir machen sollen.«
Sie rannten zu ihm.
»Ach, Christopher Robin«, begann Pu.
»Und I-Ah«, sagte I-Ah.
»Tieger und Ruh sitzen oben auf einem Ast und jetzt können sie nicht wieder runter und ...«
»Und ich habe gerade gesagt«, fügte Ferkel hinzu, »wenn doch bloß Christopher Robin ...«
»*Und* I-Ah ...«
»Wenn ihr doch bloß hier wäret, dann könnten wir uns etwas einfallen lassen, was wir tun sollen.«

Christopher Robin sah zu Tieger und Ruh hinauf und versuchte, sich etwas einfallen zu lassen.

»*Ich* dachte«, sagte Ferkel ernst, »dass, wenn I-Ah unten am Baum stünde, und wenn Pu auf I-Ahs Rücken stünde, und wenn ich auf Pus Schultern stünde ...«

»Und wenn I-Ahs Rückgrat plötzlich bräche, dann hätten wir alle was zu lachen. Haha! Sehr amüsant auf eine stille Weise«, sagte I-Ah, »aber keine große Hilfe.«

»Tja«, sagte Ferkel sanft, »*ich* dachte ...«

»Würde es dir das Rückgrat brechen, I-Ah?«, fragte Pu erstaunt.

»Das wäre ja gerade das Interessante, Pu. Man weiß es vorher nicht genau.«

Pu sagte: »Oh!«, und alle fingen wieder an zu denken.

»Ich habe eine Idee!«, schrie Christopher Robin plötzlich.

»Hör genau zu, Ferkel«, sagte I-Ah, »damit du weißt, was wir vorhaben.«

»Ich werde meinen großen Kittel ausziehen, und jeder von uns hält ihn an einer Ecke fest, und dann können Ruh und Tieger hineinspringen, und das wird dann ein ganz sanfter und federnder Aufprall und niemand kommt zu Schaden.«

»*Tieger herunterschaffen*«, sagte I-Ah, »und zwar so, dass *niemand zu Schaden kommt*. Halte diese beiden Gedanken fest, Ferkel, dann kann dir gar nichts passieren.«

Aber Ferkel hörte nicht zu; es war schier außer sich, als es daran dachte, dass es Christopher Robins blaue Hosenträger wieder sehen würde. Es hatte sie bisher nur einmal gesehen, als es noch sehr viel jünger gewesen war, und weil es sich bei ihrem Anblick ein bisschen zu sehr aufgeregt hatte, musste es eine halbe Stunde früher ins Bett als üblich; und seitdem hatte es sich immer wieder gefragt, ob sie wohl *wirklich* so blau und so anregend und so hosentragend waren, wie es sie in Erinnerung hatte. Als nun Christopher Robin seinen großen Kittel auszog und die Hosenträger haargenau so waren, wie sie sein sollten, mochte Ferkel I-Ah wieder und es ergriff die Ecke des Kittels neben I-Ah und lächelte ihn freudig an. Und I-Ah flüsterte ihm zu: »Ich sage ja gar nicht, dass *jetzt* ein Unfall passiert. Mit Unfällen ist es so eine Sache. Sie passieren einem immer erst, wenn sie einem passieren.«

Als Ruh verstanden hatte, was es tun sollte, fand es das ungeheuer aufregend und es schrie: »Tieger, Tieger, wir springen! Kuck mal, wie ich springe, Tieger! Und wenn ich springe, dann ist das wie Fliegen. Können Tieger das auch?« Und es quietschte: »Ich komme, Christopher Robin!«, und es sprang – genau mitten in den Kittel hinein. Und das ging so schnell und der Aufprall war so stark, dass es fast wieder dorthin zurückgefedert wurde, woher es gekommen war ... Und das machte es noch längere Zeit so weiter, wobei es jedes Mal »Juhuu!« schrie ... Und schließlich hörte es wieder damit auf und sagte: »Oha, toll!« Und dann nahmen sie es und stellten es auf die Erde.

»Mach schon, Tieger«, rief Ruh. »Ist ganz leicht.«

Aber Tieger wollte seinen Ast nicht aufgeben und er sagte sich: »Das mag ja alles für springende Tiere wie Kängas gut und schön sein, aber für schwimmende Tiere wie Tieger sieht die Sache schon anders aus.« Und er stellte sich vor, wie er auf dem Rücken einen Fluss hinuntertrieb oder von einer Insel zur nächsten stromerte, und er spürte, dass dies das wahre Leben für einen Tieger war.

»Komm schon«, rief Christopher Robin. »Es ist ganz unge-
fährlich.«

»Sekunde noch«, sagte Tieger nervös. »Habe da ein Stückchen Rinde im Auge.« Und langsam bewegte er sich auf seinem Ast entlang.

»Mach schon, ist ganz leicht!«, quietschte Ruh. Und plötzlich merkte Tieger, wie leicht es war.

»Au!«, rief er, als der Baum an ihm vorüberflog.

»Obacht!«, schrie Christopher Robin den anderen zu.

Es gab einen lauten Knall und einen Lärm wie von etwas, das
zerfetzt wird, und auf dem Boden lag ein großer Haufen, der
aus allen Beteiligten bestand.

Christopher Robin und Pu und Ferkel standen als Erste wieder auf, und dann stellten sie Tieger wieder hin, und unter
allen anderen lag I-Ah.

»Ach, I-Ah!«, schrie Christopher Robin. »Bist du verletzt?«
Und er befühlte ihn ziemlich besorgt und staubte ihn ab und
half ihm auf die Beine.

I-Ah sagte längere Zeit gar nichts. Und dann sagte er: »Ist
Tieger da?«

Tieger war da und er fühlte sich schon wieder ungestüm.

»Ja«, sagte Christopher Robin. »Tieger ist da.«

»Dann kannst du dich bei ihm in meinem Namen bedan-
ken«, sagte I-Ah.

In welchem für Kaninchen an diesem Tag viel los ist; außerdem erfahren wir, was Christopher Robin morgens macht

Dies war einer von den Tagen, an denen für Kaninchen viel los war; es würde alle Hände voll zu tun haben; das merkte es schon, als es aufwachte: dies Gefühl, als hinge alles von ihm ab. Es war genau der Tag um etwas-zu-organisieren oder etwas-gez.-Kaninchen zu verfassen oder herauszufinden, was-alle-andern-davon-hielten. Es war ein Morgen, wie geschaffen dazu, ganz eilig Pu aufzusuchen, »Na gut, na schön, ich sage Ferkel Bescheid« zu sagen und dann zu Ferkel zu gehen und zu sagen: »Pu meint ... Aber vielleicht sollte ich zuerst mit Eule darüber sprechen.« Es war ein Tag für einen Hauptmann oder Kapitän, wenn jeder sagte: »Ja, Kaninchen!« und »Nein, Kaninchen!« und wartete, bis Kaninchen Bescheid gesagt hatte.

Es kam aus seinem Haus und schnüffelte an dem warmen Frühlingsmorgen und fragte sich, was es unternehmen würde. Kängas Haus lag am nächsten, und in Kängas Haus war Ruh, und Ruh sagte »Ja, Kaninchen« und »Nein, Kaninchen« fast noch besser als alle anderen im Wald; aber neuerdings gab es dort ein weiteres Tier, den fremdartigen und ungestümen Tieger; und der war die Sorte Tieger, die immer schon vor einem da ist, wenn man ihr sowieso gerade erst sagen will, wo es langgeht, und die längst verschwunden war, wenn man schließlich ankam und stolz »So, da sind wir!« sagte.

»Nein, nicht zu Känga«, sagte Kaninchen nachdenklich und zwirbelte sich den Schnurrbart in der Sonne; und damit es auch ganz bestimmt nicht dorthin ging, wandte es sich nach links und trabte in entgegengesetzte Richtung los und das war der Weg zum Haus von Christopher Robin.

»Schließlich«, sagte sich Kaninchen, »verlässt sich Christopher Robin auf mich. Zwar mag er Pu und Ferkel und I-Ah und ich mag sie ja auch, aber sie haben keinen Verstand. Jedenfalls merkt man nichts davon. Und vor Eule hat er Respekt, denn man muss ja wohl Respekt vor jedem haben, der DIENSTAG buchstabieren kann, auch wenn sie es nicht richtig buchstabiert; aber Buchstabieren ist nicht alles. Es gibt Tage, an denen es einfach nicht zählt, wenn man ›Dienstag‹ buchstabieren kann. Und Känga hat zu viel mit Ruh zu tun, und Ruh ist zu jung, und Tieger ist zu ungestüm, um von irgendeinem Nutzen zu sein, weshalb wirklich niemand außer *mir* in Frage kommt, wenn man es recht bedenkt. Ich werde mal hingehen und herausfinden, ob er irgendwas zu erledigen hat, und dann werde ich es für ihn erledigen. Es ist genau der richtige Tag um Sachen zu erledigen.«

Kaninchen trabte munter dahin und irgendwann überquerte es den Bach und kam an die Stelle, wo seine Bekannten-und-Verwandten wohnten. Heute Morgen schienen sogar noch mehr davon auf den Beinen zu sein als üblich, und nachdem es ein, zwei Igeln zugenickt hatte, denen es nicht die Hand geben konnte, weil es zu beschäftigt war, und nachdem es gewichtig »Guten Morgen, guten Morgen« zu einigen ande-

ren und freundlich »Ah, da seid ihr ja« zu den kleineren
gesagt hatte, winkte es ihnen allen mit der Pfote über die
Schulter zu und weg war es; es hinterließ eine solche Aufregung und ein derartiges Ich-weiß-nicht-was, dass sich verschiedene Mitglieder der Familie der Käfer, einschließlich
Heinrich Eilig, sofort zum Hundertsechzig-Morgen-Wald
aufmachten und auf Bäume zu klettern begannen, wobei sie
hofften, dass sie oben waren, bevor es passierte – was es auch
war –, damit sie es auch ordentlich sehen konnten.

Kaninchen eilte am Waldessaum vorbei und kam sich mit
jeder Minute wichtiger vor, und dann erreichte es den Baum,
in dem Christopher Robin wohnte. Es klopfte an die Tür und

rief ein- oder zweimal, und dann trat es ein wenig zurück und legte die Pfote schützend über die Augen um nicht von der Sonne geblendet zu werden, und rief hinauf in den Baumwipfel, und dann drehte es sich um und rief »Hallo!« und »Halli-hallo!« und »Ich bin's: Kaninchen!« Aber nichts geschah. Dann hielt es inne und lauschte, und alles hielt mit ihm inne und lauschte, und der Wald stand sehr einsam und still im Sonnenschein, bis plötzlich hundert Meilen über ihm eine Lerche zu singen begann.

»So ein Mist!«, sagte Kaninchen. »Er ist weggegangen.«

Es ging zurück zur grünen Eingangstür, nur um ganz sicher zu sein, und als es sich mit dem Gefühl umdrehte, dass ihm der ganze Morgen gründlich verdorben worden war, sah es ein Stück Papier auf dem Boden. Und in dem Zettel steckte eine Stecknadel, als wäre er von der Tür heruntergefallen.

»Ha!«, sagte Kaninchen und war wieder ganz vergnügt. »Schon wieder eine Nachricht!«

Und dies ist die Nachricht:

WEGEGANG
BALZRÜCK
HAPPZUTUHN
BALZRÜCK
C. R.

»Ha!«, sagte Kaninchen wieder. »Das muss ich den andern sagen.« Und es rannte wichtig davon.

Am günstigsten lag das Haus von Eule, und zu Eules Haus im Hundertsechzig-Morgen-Wald machte Kaninchen sich auf den Weg. Es kam an Eules Tür, und es klopfte, und es

klingelte, und es klingelte, und es klopfte, und schließlich und endlich kam Eules Kopf zum Vorschein und sagte: »Geh weg, ich denke nach; ach, *du* bissst'sss«, und das sagte Eule immer als Erstes.

»Eule«, fing Kaninchen knapp an, »du und ich, wir haben Verstand. Die anderen haben Fusseln im Kopf. Wenn es in diesem Wald ums Denken geht – und wenn ich ›Denken‹ sage, dann meine ich Denken –, sind wir beiden diejenigen, die das übernehmen müssen.«

»Genau dasss«, sagte Eule, »habe ich getan.«

»Lies dies.«

Eule nahm die Nachricht von Kaninchen entgegen und betrachtete sie nervös. Sie konnte ihren eigenen Namen, OILE, buchstabieren, und sie konnte »Dienstag« so schreiben, dass man merkte, dass es nicht Mittwoch war, und sie konnte ganz gut lesen, wenn man ihr nicht ständig über die Schulter sah und »Na?«, sagte, und sie konnte ...

»Na?«, sagte Kaninchen.

»Gewissssss«, sagte Eule und sah weise und nachdenklich aus. »Ich verstehe, wasss du meinssst. Zzzweifelsssohne.«

»Na?«

»Exxx-akt«, sagte Eule. »Prä-zzzise.« Und sie fügte nach kurzem Nachdenken hinzu: »Wenn du nicht zzzu mir gekommen wäressst, wäre ich zzzu dir gekommen.«

»Warum?«, fragte Kaninchen.

»Ausss ebendiesem Anlassssss«, sagte Eule und hoffte, dass bald etwas geschehen würde.

»Gestern früh«, sagte Kaninchen feierlich, »wollte ich Chris-

235

topher Robin besuchen. Er war nicht da. An seiner Tür war eine Nachricht angebracht!«

»War esss dieselbe Nachricht?«

»Es war eine andere. Aber die Bedeutung war dieselbe. Es ist sehr merkwürdig.«

»Sogar äußßßersssst merkwürdig«, sagte Eule, die wieder die Nachricht betrachtete und – irgendwie, nur ganz kurz – das Gefühl hatte, Christopher Robins Rücken sei etwas zugestoßen. »Wasss hassst du unternommen?«

»Nichts.«

»Dasss issst dasss Bessste, wasss du tun konntessst«, sagte Eule weise.

»Na?«, sagte Kaninchen wieder und genau das hatte Eule erwartet.

»Exxx-akt«, sagte Eule.

Eine Zeit lang fiel ihr nichts anderes ein; und dann, ganz plötzlich, hatte sie eine Idee.

»Sage mir, Kaninchen«, sagte sie, »die *exxx-akten* Worte der ersssten Nachricht. Diesss issst von großßßer Wichtigkeit. Davon hängt allesss ab. Die *exxx-akten* Worte der *ersssten* Nachricht.«

236

»Es stand eigentlich das Gleiche drin wie in dieser Nachricht.«
Eule sah Kaninchen an und fragte sich, ob sie es vom Baum
schubsen sollte; aber weil sie das Gefühl hatte, dass sie das
später immer noch machen konnte, versuchte sie noch einmal herauszufinden, wovon die Rede war.

»Die exxx-akten Worte, bitte«, sagte sie, als hätte Kaninchen
gar nicht gesprochen.

»Da stand ganz einfach ›Wegegang. Balzrück‹. Genau wie
auf diesem Zettel; nur hier steht außerdem noch ›Happzutuhn. Balzrück‹.«

Eule ließ einen tiefen Seufzer der Erleichterung hören.

»Aha!«, sagte sie. »*Jetzzzt* wisssssssen wir, woran wir sind!«

»Ja, aber wo ist Christopher Robin?«, fragte Kaninchen.

»Darum geht es doch.«

Eule betrachtete wieder die Nachricht. Für jemanden von
Eules Bildung war sie ganz leicht zu lesen. »Wegegang. Balzrück. Happzutuhn. Balzrück« –: Genau das, was man auf
einer Nachricht zu sehen erwartet.

»Esss issst ganzzz klar, wasss passssssssiert issst, mein liebesss
Kaninchen«, sagte sie. »Chrissstopher Robin issst mit
Balzzzrück irgendwohin ausssgegangen. Er und Balzzzrück
haben zzzu tun. Hassst du irgendwo in letzzzter Zeit im Wald
ein Balzzzrück gesehen?«

»Ich weiß nicht«, sagte Kaninchen. »Deshalb wollte ich dich
ja fragen. Wie sehen sie aus?«

»Nun«, sagte Eule, »dasss gesprenkelte oder krautartige
Balzzzrück issst lediglich ein …«

»Zzzumindessst«, sagte sie, »issst esss eigentlich eher ein …«

»Allerdingsss«, sagte sie, »hängt esss auch davon ab, ob
esss …«

»Nun«, sagte Eule, »esss issst nämlich so«, sagte sie, »ich weißßß nicht, *wie* sie aussssehen«, sagte Eule unverblümt.

»Danke«, sagte Kaninchen. Und es stob davon um mit Pu zu sprechen.

Bevor es sehr weit gekommen war, hörte es ein Geräusch. Deshalb blieb es stehen und lauschte. Dies war das Geräusch:

»GERÄUSCH, VON PU

Oh, die Schmetterlinge fliegen,
Besiegt die Wintertage liegen,
Die Schlüsselblumen sich verbiegen;
Sie wollen gesehen werden.

Und die Turteltaube gurrt,
Und der Wald steht auf und knurrt,
Und wie blau das Veilchen wurd!
Es ist so grün auf Erden.

Die Honigbiene summt und klebt,
Mit ihren kleinen Flügeln hebt
Sie ab, der Sommer lebt
Von der Wonne.

Es gurrt schon fast die Kuh,
Die Taube, die macht ›Muh!‹
Und nur der Pu macht ›Pu!‹
In der Sonne.

Wenn endlich jetzt der Frühling früht,
Man Haubenlerchen singen sieht,
Und auch der Glockenblumen Lied
Macht ein Heidengebimmel.

Der Kuckuck gurrt auf keinen Fall,
Er kuckt und uckt nur überall,
Und Pu macht ›Pu!‹ mit lautem Knall
Wie ein Vogel am Himmel.«

»Hallo, Pu«, sagte Kaninchen.
»Hallo, Kaninchen«, sagte Pu verträumt.
»Hast du dir das Lied ausgedacht?«
»Na ja, so irgendwie habe ich es mir ausgedacht«, sagte Pu.
»Es hat nichts mit Verstand zu tun«, fuhr er bescheiden fort,
»denn du-weißt-ja-selbst-Bescheid, Kaninchen; aber manch-
mal fliegt es mir so zu.«

»Aha!«, sagte Kaninchen, das sich nie etwas zufliegen ließ, sondern stets zupackte, wenn es etwas zu holen gab. »Also, es geht um Folgendes: Hast du zufällig irgendwo im Wald ein gesprenkeltes oder krautartiges Balzrück gesehen?«

»Nein«, sagte Pu. »Jedenfalls kein ... Nein«, sagte Pu. »Tieger habe ich eben gesehen.«

»Das nützt mir nichts.«

»Nein«, sagte Pu. »Das habe ich mir gedacht.«

»Hast du Ferkel gesehen?«

»Ja«, sagte Pu. »Ich nehme an, dass dir *das* auch nichts nützt?«, fragte er zaghaft.

»Tja, das kommt darauf an, ob es irgendwas gesehen hat.«

»Mich hat es gesehen«, sagte Pu.

Kaninchen setzte sich neben Pu auf die Erde und da es sich nun viel weniger wichtig vorkam, stand es wieder auf.

»Es läuft nämlich alles auf Folgendes hinaus«, sagte es. »*Was tut Christopher Robin in letzter Zeit morgens?*«

»Du meinst, was für Sachen er macht?«

»Na ja, kannst du mir irgendwas sagen, was er morgens macht? Jetzt, in den letzten Tagen?«

»Ja«, sagte Pu. »Gestern haben wir zusammen gefrühstückt. Bei den Tannen. Ich hatte einen kleinen Korb zurechtgemacht, nur einen kleinen Korb,

gerade in der richtigen Größe,

einen ganz normalen,

ziemlich großen Korb voller ...«

»Ja, ja«, sagte Kaninchen, »ich meine aber später. Hast du ihn zwischen elf und zwölf gesehen?«

»Tja«, sagte Pu, »um elf ... Um elf ... Tja, um elf gehe ich im Allgemeinen, weißt du, nach Hause, so gegen elf herum. Weil ich da das eine oder andere zu erledigen habe.«

»Und um Viertel nach elf?«

»Tja ...«, sagte Pu.

»Halb zwölf?«

»Ja«, sagte Pu. »Um halb zwölf – vielleicht auch später – kann es durchaus passieren, dass ich ihn sehe.«

Und jetzt, als er darüber nachdachte, fiel ihm wieder ein, dass er Christopher Robin tatsächlich in letzter Zeit gar nicht so oft gesehen hatte. Jedenfalls nicht am Vormittag. Am Nachmittag ja; am Abend ja; vor dem Frühstück ja; gleich nach dem Frühstück ja. Und dann sagte er vielleicht noch: »Bis bald, Pu«, und schon brach er auf.

»Das ist es nämlich«, sagte Kaninchen. »Wohin?«

»Vielleicht sucht er etwas.«

»Was?«, fragte Kaninchen.

»Das wollte ich auch gerade sagen«, sagte Pu. Und dann fügte er hinzu: »Vielleicht sucht er ein ... ein ...«

»Ein gesprenkeltes oder krautartiges Balzrück?«

»Ja«, sagte Pu. »Eins von der Sorte. Falls es vielleicht doch nicht gesprenkelt ist.«

Kaninchen sah ihn ernst an.

»Ich glaube, du bist keine große Hilfe«, sagte es.

»Nein«, sagte Pu. »Ich versuche es aber«, fügte er bescheiden hinzu.

Kaninchen dankte ihm für den Versuch und sagte, es würde jetzt zu I-Ah gehen und Pu könne mitgehen, wenn er wolle. Aber Pu, der spürte, dass ihm eine weitere Strophe seines Liedes zuflog, sagte, er wolle auf Ferkel warten, Wiedersehen, Kaninchen; also ging Kaninchen weiter.

Aber zufällig traf Kaninchen Ferkel zuerst. Ferkel war an jenem Morgen früh aufgestanden um sich einen Veilchenstrauß zu pflücken; und als es die Veilchen gepflückt und mitten in seiner Wohnung in eine Vase gestellt hatte, wurde

ihm plötzlich schlagartig bewusst, dass noch nie jemand einen Veilchenstrauß für I-Ah gepflückt hatte, und je mehr es darüber nachdachte, desto mehr dachte es, wie traurig es war ein Tier zu sein, dem noch nie ein Veilchenstrauß gepflückt worden war. Deshalb rannte es wieder vor die Tür und sagte: »I-Ah, Veilchen«, und dann: »Veilchen, I-Ah«, falls es ihm entfallen sollte, denn heute war so ein Tag, und es pflückte einen großen Strauß und trabte weiter, und es roch an dem Strauß, und es war sehr vergnügt, bis es an die Stelle kam, wo I-Ah zu finden war.

»Oh, I-Ah«, begann Ferkel ein wenig nervös, denn I-Ah war beschäftigt.

I-Ah streckte eine Pfote aus und winkte Ferkel, es solle verschwinden.

»Morgen«, sagte I-Ah. »Oder einen Tag später.«

Ferkel kam etwas näher um zu sehen, womit I-Ah beschäftigt war. I-Ah hatte drei Stöcke auf dem Boden liegen und betrachtete sie. Zwei Stöcke berührten sich am einen Ende, aber nicht am anderen, und der dritte Stock war quer darüber gelegt. Ferkel dachte, es wäre vielleicht eine Art Falle.

»Oh, I-Ah«, begann es wieder, »ich wollte nur ...«

»Ist das das kleine Ferkel?«, sagte I-Ah und betrachtete weiter angestrengt seine Stöcke.

»Ja, I-Ah, und ich ...«

»Weißt du, was dies ist?«

»Nein«, sagte Ferkel.

»Es ist ein A.«

»Oh«, sagte Ferkel.

»Kein O, ein A«, sagte I-Ah. »Kannst du nicht hören oder glaubst du, du hast mehr Bildung als Christopher Robin?«

»Ja«, sagte Ferkel. »Nein«, sagte Ferkel schnell. Und es kam noch etwas näher.

»Christopher Robin hat gesagt, es ist ein A, und ein A ist es auch ... Bis jemand drauftritt«, fügte I-Ah ungnädig hinzu. Ferkel sprang eilig zurück und roch an seinen Veilchen.

»Weißt du, was A bedeutet, kleines Ferkel?«

»Nein, I-Ah, das weiß ich nicht.«

»Es bedeutet Lernen, es bedeutet Bildung, es bedeutet all das, was dir und Pu fehlt. Das bedeutet A.«

»Oh«, sagte Ferkel wieder. »Ich meine: tatsächlich?«, fügte es schnell erläuternd hinzu.

»Wenn ich's dir doch sage. Da kommen und gehen die Leute

in diesem Wald und sie sagen: ›Das ist ja nur I-Ah; der zählt ja nicht.‹ Sie gehen auf und ab und sagen: ›Haha!‹ Aber wissen sie irgendwas über A? Sie wissen nichts. Für *sie* sind das nur drei Stöcke. Aber für die Gebildeten – pass auf, kleines Ferkel –, für die Gebildeten, also nicht für Pus und Ferkels, ist es ein riesiges und ruhmreiches A. Nichts«, fügte er hinzu, »was man einfach so aus der Nähe begaffen und mit seinem *Atem* entweihen kann.«

Ferkel trat nervös noch etwas weiter zurück und sah sich nach Hilfe um.

»Da ist ja Kaninchen«, sagte es froh. »Hallo, Kaninchen.«

Kaninchen kam gewichtig heran, nickte Ferkel zu und sagte: »Ah, I-Ah« – mit einer Stimme, wie sie jemand hat, der sich in zwei Minuten wieder verabschieden wird.

»Ich will dir nur eine einzige Frage stellen, I-Ah. Was geschieht in letzter Zeit vormittags mit Christopher Robin?«

»Was ist das, was ich hier betrachte?«, fragte I-Ah, der es immer noch betrachtete.

»Drei Stöcke«, sagte Kaninchen prompt.

»Siehst du?«, sagte I-Ah zu Ferkel. Er wandte sich an Kaninchen. »Ich werde jetzt deine Frage beantworten«, sagte er feierlich.

»Danke«, sagte Kaninchen.

»Was tut Christopher Robin morgens? Er lernt. Er wird gebildet. Er instigoriert – ich *glaube*, das ist das Wort, das er erwähnte, aber vielleicht beziehe ich mich da auch auf etwas anderes – er instigoriert Wissen. Auf meine eigene kleine, bescheidene Weise in … äh … – falls mir das richtige Wort zur Verfügung steht – tue ich das Gleiche wie er. Dies, zum Beispiel, ist …«

»Ein A«, sagte Kaninchen, »aber kein sehr gutes. Na ja, ich muss zurück und es den anderen sagen.«

I-Ah sah seine Stöcke an und dann sah er Ferkel an.

»Was, sagte Kaninchen, ist das?«, fragte er.

»Ein A«, sagte Ferkel.

»Hast du ihm das gesagt?«

»Nein, I-Ah, hab ich nicht. Ich nehme an, Kaninchen wusste es einfach.«

»Kaninchen *wusste* es? Du meinst, diese Sache mit dem A ist etwas, was *Kaninchen* gewusst hat?«

»Ja, I-Ah. Kaninchen ist schlau, sogar ziemlich.«

»Schlau!«, sagte I-Ah verächtlich und trat mit einem Fuß schwer auf seine drei Stöcke. »Bildung!«, sagte I-Ah bitter und sprang auf seinen sechs Stöcken herum. »Was *ist* die Gelehrsamkeit?«, fragte I-Ah und versetzte seinen zwölf Stöcken einen Tritt, dass sie in die Luft flogen. »Etwas, was *Kaninchen* weiß! Ha!«

»Ich denke ...«, begann Ferkel nervös.

»Tu's nicht«, sagte I-Ah.

»Ich denke, *Veilchen* sind sehr hübsch«, sagte Ferkel. Und es legte seinen Strauß vor I-Ah auf die Erde und machte, dass es wegkam.

Am nächsten Morgen lautete die Nachricht an Christopher Robins Tür:

WEGGEGANGEN
BALD ZURÜCK
C. R.

Und deshalb wissen jetzt alle Tiere im Wald – das gesprenkelte und krautartige Balzrück natürlich ausgenommen –, was Christopher Robin morgens macht.

SECHSTES KAPITEL

In welchem Pu ein neues Spiel
erfindet und I-Ah mitspielt

Als er den Saum des Waldes erreicht hatte, war der Bach
erwachsen geworden, sodass er schon fast ein Fluss war, und
weil er erwachsen war, lief und sprang und funkelte er nicht
mehr so dahin wie in seiner Jugend, sondern er bewegte sich
langsamer. Denn jetzt wusste er, wohin er floss, und er sagte
sich: »Es eilt nicht. Eines Tages kommen wir an.« Aber all
die kleinen Bäche weiter oben im Wald gingen mal hier-, mal
dorthin, schnell, eifrig, weil sie noch so viel herausfinden
mussten, bevor es zu spät war.

Es gab einen breiten Weg, fast so breit wie eine Straße, der
von der Außenwelt zum Wald führte, aber bevor er zum
Wald kommen konnte, musste er den Fluss überqueren. Deshalb war dort, wo er ihn überquerte, eine hölzerne Brücke,
fast so breit wie eine Straße, und auf beiden Seiten waren
hölzerne Geländer. Christopher Robin konnte eben gerade
das Kinn auf das obere Geländer legen, wenn er wollte, aber
es machte mehr Spaß auf dem unteren Geländer zu stehen,
sodass er sich auf das obere Geländer lehnen und beobachten
konnte, wie unter ihm der Fluss langsam vorbeiglitt. Pu
konnte das Kinn auf das untere Geländer legen, wenn er
wollte, aber es machte mehr Spaß sich hinzulegen und den
Kopf unter dem Geländer hindurchzustecken und zu beobachten, wie unter ihm der Fluss langsam vorbeiglitt. Und nur

so konnten Ferkel und Ruh den Fluss überhaupt beobachten, denn sie waren zu klein um das untere Geländer zu erreichen. Deshalb legten sie sich auf den Bauch und beobachteten ... Und er glitt sehr langsam dahin, da er es mit dem Ankommen überhaupt nicht eilig hatte.

Eines Tages, als Pu auf dem Weg zu dieser Brücke war, versuchte er ein kleines Stück Dichtung über Tannenzapfen zu erfinden, denn da waren sie, links und rechts von ihm, und er hatte so ein singeriges Gefühl. Also hob er einen Tannenzapfen auf und sah ihn an und sagte sich: »Dies ist ein sehr guter Tannenzapfen und eigentlich sollte sich etwas auf ihn reimen.« Aber ihm fiel nichts ein. Und dann kam ihm plötzlich dies in den Kopf:

> »Geheimnisvolle, rätselhafte Tanne:
> Eule sagt, es ist *ihre* Tanne,
> Und Känga sagt, es ist *ihre* Tanne.
> Ach, wär sie doch eine *Pla*tanne.«

»Was keinen Sinn ergibt«, sagte Pu, »denn Känga wohnt gar nicht auf einem Baum.«

Er war gerade zur Brücke gekommen, und da er nicht darauf

achtete, wohin er ging, stolperte er über etwas und der Tannenzapfen sprang ihm aus der Hand und fiel in den Fluss.

»So ein Mist«, sagte Pu, als der Tannenzapfen langsam unter die Brücke getrieben wurde, und er ging zurück um sich einen neuen Tannenzapfen zu holen, auf den sich etwas reimte. Aber dann fand er, er könnte stattdessen einfach den Fluss betrachten, denn es war so ein friedlicher Tag, und deshalb legte er sich auf den Bauch und blickte hinunter, und der Fluss glitt langsam unter ihm vorbei ... Und plötzlich glitt auch sein Tannenzapfen vorbei.

»Das ist ja merkwürdig«, sagte Pu. »Ich habe ihn auf der anderen Seite fallen lassen und auf dieser Seite ist er herausgekommen. Ob er das wohl noch mal macht?« Und er ging zurück um weitere Tannenzapfen zu holen.

Der Tannenzapfen machte es noch mal. Und immer wieder. Dann ließ er zwei auf einmal ins Wasser fallen und lehnte sich über die Brücke um zu sehen, welcher zuerst ankam; und einer der beiden kam zuerst an; aber weil sie beide gleich groß waren, wusste er nicht, ob es der gewesen war, dem er es gewünscht hatte, oder der andere. Deshalb warf er beim nächsten Mal einen großen und einen kleinen hinein und der große kam zuerst heraus, genau, wie er es vorausgesagt hatte, und der kleine kam als Letzter und auch das hatte er vorausgesagt, sodass er zweimal gewonnen hatte ... Und als er zum Tee nach Hause ging, hatte er sechsunddreißigmal gewonnen und achtundzwanzigmal verloren und das bedeutete, dass er ... Also, man zieht achtundzwanzig von sechsunddreißig ab, und *so* oft hatte er gewonnen. Anstatt umgekehrt.

Und das waren die Anfänge des Spiels namens Pu-Stöcke, das Pu erfunden hatte und das er mit seinen Freunden am Wal-

dessaum zu spielen pflegte. Aber sie spielten es mit Stöcken statt mit Tannenzapfen, weil Stöcke leichter zu kennzeichnen waren.

Nun spielten eines Tages Pu und Ferkel und Kaninchen und Ruh zusammen Pu-Stöcke. Sie hatten ihre Stöcke ins Wasser geworfen, als Kaninchen »Los!«, sagte, woraufhin sie alle auf die andere Seite der Brücke rannten, und nun beugten sie sich über den Rand und warteten, wessen Stock als Erster hervorkommen würde. Aber das Kommen dauerte seine Zeit, denn der Fluss war an jenem Tag sehr faul und es schien ihn kaum zu kümmern, ob er überhaupt jemals ankam.

»Ich kann meinen sehen!«, schrie Ruh. »Nein, ich kann ihn

nicht sehen, es ist was anderes. Kannst du deinen sehen, Ferkel? Ich dachte, ich hätte meinen gesehen, aber ich hab ihn gar nicht gesehen. Da ist er! Nein, ist er nicht. Kannst du deinen sehen, Pu?«

»Nein«, sagte Pu.

»Ich nehme an, mein Stock ist stecken geblieben«, sagte Ruh.

»Kaninchen, mein Stock ist stecken geblieben. Ist dein Stock auch stecken geblieben, Ferkel?«

»Sie brauchen immer länger, als man denkt«, sagte Kaninchen.

»Wie lange, *glaubst* du, brauchen sie denn?«, fragte Ruh.

»Ich kann deinen sehen, Ferkel«, sagte Pu plötzlich.

»Meiner ist eher grau«, sagte Ferkel, welches nicht wagte sich zu weit vornüber zu lehnen, weil es dabei ins Wasser fallen könnte.

»Ja, den kann ich sehen. Er kommt auf meiner Seite durch.« Kaninchen beugte sich weiter vornüber als je zuvor und hielt nach seinem Stock Ausschau, und Ruh zappelte und sprang in die Luft und schrie: »Nun komm schon! Stock, Stock, Stock!«, und Ferkel regte sich sehr auf, weil sein Stock der Einzige war, der bisher gesichtet wurde, und das bedeutete, dass es, Ferkel, gewann.

»Er kommt!«, sagte Pu.

»Bist du *sicher*, dass er meiner ist?«, quiekte Ferkel aufgeregt.

»Ja, weil er grau ist. Ein großer grauer. Da kommt er! Ein sehr ... großer ... grauer ... Oh! Nein, er ist es nicht, es ist I-Ah.«

Und I-Ah kam angetrieben.

»I-Ah!«, schrien alle.

252

I-Ah kam unter der Brücke hervor und sah, mit den Beinen in der Luft, sehr gelassen und sehr würdevoll aus.

»Es ist I-Ah!«, schrie Ruh schrecklich aufgeregt.

»Ach, wirklich?«, fragte I-Ah, der gerade in einen kleinen Strudel geraten war und sich langsam dreimal um sich selber drehte. »Ich hatte mich schon gefragt.«

»Ich wusste nicht, dass du da unten spielst«, sagte Ruh.

»Ich spiele nicht«, sagte I-Ah.

»I-Ah, was *machst* du denn da?«, sagte Kaninchen.

»Dreimal darfst du raten, Kaninchen. Grabe ich Löcher ins Erdreich? Falsch. Befinde ich mich auf einer jungen Eiche und springe von Ast zu Ast? Falsch. Warte ich darauf, dass mir jemand aus dem Fluss hilft? Richtig. Man muss Kaninchen nur Zeit lassen, dann kommt es immer auf die richtige Antwort.«

»Aber, I-Ah«, sagte Pu bekümmert, »was können wir ... Ich meine, wie sollen wir ... Meinst du, wenn wir ...«

»Ja«, sagte I-Ah. »Eine dieser Möglichkeiten wäre genau das Richtige. Danke, Pu.«

»Er dreht sich ja *immer im Kreis*«, sagte Ruh tief beeindruckt.

»Warum auch nicht?«, sagte I-Ah kühl.

»Ich kann auch schwimmen«, sagte Ruh stolz.

»Aber nicht immer im Kreis«, sagte I-Ah. »Das ist viel schwieriger. Eigentlich wollte ich heute gar nicht schwimmen gehen«, fuhr er fort und drehte sich dabei langsam. »Aber da ich nun schon einmal drin bin, habe ich beschlossen eine leichte kreiselnde Bewegung von rechts nach links zu üben; oder aber auch«, fügte er hinzu, als er in einen anderen Strudel geriet, »von links nach rechts, wie es mir gerade in den Sinn kommt, und das geht niemanden etwas an außer mir.«

Es war einen Augenblick lang still, während alle nachdachten. »Ich habe so eine Art Idee«, sagte Pu schließlich, »aber ich nehme nicht an, dass es eine sehr gute ist.«

»Das nehme ich auch nicht an«, sagte I-Ah.

»Fahre fort, Pu«, sagte Kaninchen. »Frisch von der Leber weg.«

»Tja, wenn wir alle auf der *einen* Seite von I-Ah Steine und so was in den Fluss schmeißen, dann machen die Steine Wellen und die Wellen spülen ihn auf die andere Seite.«

»Das ist eine sehr gute Idee«, sagte Kaninchen und Pu sah wieder fröhlich aus.

»Hervorragend«, sagte I-Ah. »Wenn ich gespült werden will, Pu, sage ich dir Bescheid.«

»Und falls wir ihn aus Versehen treffen?«, fragte Ferkel besorgt.

»Oder falls ihr ihn aus Versehen nicht trefft«, sagte I-Ah.

»Ihr müsst alle Möglichkeiten bedenken, Ferkel, bevor ihr euch einen schönen Tag machen könnt.«

Aber Pu hatte sich schon den größten Stein geholt, den er tragen konnte, und beugte sich über die Brücke, den Stein in den Pfoten.

»Ich werfe ihn nicht, ich lasse ihn fallen, I-Ah«, erklärte er. »Und dann kann ich dich nicht verfehlen ... Ich meine, nicht treffen. *Könntest* du mal einen Augenblick lang aufhören dich im Kreis zu drehen? Das bringt mich nämlich völlig durcheinander.«

»Nein«, sagte I-Ah. »Ich drehe mich *gern* im Kreise.«

Kaninchen fand, dass es an der Zeit war das Kommando zu übernehmen.

»Jetzt hör zu, Pu«, sagte es, »wenn ich ›Jetzt!‹ sage, kannst du ihn fallen lassen. I-Ah, wenn ich ›Jetzt!‹ sage, lässt Pu seinen Stein fallen.«

»Vielen Dank, Kaninchen, aber ich nehme an, dass ich das von alleine merke.«

»Bist du bereit, Pu? Ferkel, mach ein bisschen mehr Platz für Pu. Etwas weiter nach hinten, Ruh. Seid ihr bereit?«

»Nein«, sagte I-Ah.

»*Jetzt!*«, sagte Kaninchen.

Pu ließ seinen Stein fallen. Es machte laut platsch und I-Ah verschwand ...

Es war ein banger Moment für die Beobachter auf der Brücke. Sie kuckten und kuckten ... Und nicht einmal der Anblick von Ferkels Stock, der etwas früher vorbeikam als Kaninchens Stock, konnte sie so sehr aufheitern, wie man hätte erwarten können. Und dann, als Pu gerade anfing zu denken, dass er sich den falschen Stein ausgesucht haben musste oder den falschen Fluss oder den falschen Tag für seine Idee, zeigte sich einen Augenblick lang etwas Graues am Ufer des Flusses – und es wurde langsam immer größer – und zum Schluss war es I-Ah, der aus dem Wasser kam.

Mit einem Schrei rannten sie von der Brücke und zogen und

schoben an I-Ah herum; und bald stand er wieder bei ihnen auf trockenem Untergrund.

»Ach, I-Ah, du *bist* aber auch nass!«, sagte Ferkel, welches ihn befühlte.

I-Ah schüttelte sich und bat, dass vielleicht mal jemand Ferkel erklären möchte, was geschieht, wenn man sich längere Zeit im Innern eines Flusses aufhält.

»Gut gemacht, Pu«, sagte Kaninchen freundlich. »Das war eine gute Idee von uns.«

»Was?«, fragte I-Ah.

»Dich so ans Ufer zu schwemmen.«

»Mich zu *schwemmen?*« sagte I-Ah erstaunt. »*Mich* zu schwemmen? Ihr nehmt doch wohl nicht an, ich wäre geschwemmt worden, oder? Ich bin getaucht. Pu hat einen großen Stein auf mich fallen gelassen, und um keinen schweren Schlag auf den Brustkorb einstecken zu müssen, bin ich getaucht und ans Ufer geschwommen.«

»Hast du gar nicht«, flüsterte Ferkel Pu zu um ihn zu trösten.

»Ich *glaube* es jedenfalls nicht«, sagte Pu besorgt.

»So ist I-Ah nun mal«, sagte Ferkel. »*Ich* fand deine Idee eine sehr gute Idee.«

Pu begann sich etwas weniger unbehaglich zu fühlen, denn wenn man ein Bär von sehr wenig Verstand ist und sich Sachen ausdenkt, findet man plötzlich, dass eine Sache, die in einem selbst noch stark wie eine Sache ausgesehen hatte, ganz anders ist, wenn sie herauskommt und von anderen betrachtet wird. Und sowieso: I-Ah *war* im Fluss gewesen und jetzt war er *nicht* mehr im Fluss, und deshalb hatte Pu keinen Schaden angerichtet.

»Wie bist du denn hineingefallen, I-Ah?«, fragte Kaninchen, als es ihn mit Ferkels Taschentuch abtrocknete.

»Ich bin nicht hineingefallen«, sagte I-Ah.

»Aber wie ...«

»Ich wurde sehr *ungestüm* gestoßen.«

»Oha«, sagte Ruh aufgeregt, »hat dich jemand geschubst?«

»Ja, und zwar sehr *ungestüm*. Ich stand einfach am Fluss und dachte nach – *denken*, falls einer von euch weiß, was das bedeutet –, als ich plötzlich sehr *ungestüm* gestoßen wurde.«

»Ach, I-Ah!«, sagten alle.

»Bist du sicher, dass du nicht ausgerutscht bist?«, fragte Kaninchen weise.

»Natürlich bin ich ausgerutscht. Wenn man auf dem rutschigen Ufer eines Flusses steht und jemand einen voller *Ungestüm* von hinten stößt, rutscht man aus. Was hattest du denn gedacht?«

»Aber wer hat das getan?«, fragte Ruh.

I-Ah antwortete nicht.

»Ich nehme an, es war Tieger«, sagte Ferkel nervös.

»Aber, I-Ah«, sagte Pu, »war das ein Scherz oder ein Unfall? Ich meine ...«

»Diese Frage habe ich mir auch gestellt, Pu, und ich stelle sie mir immer noch. Sogar auf dem tiefsten Grunde des Flusses habe ich nicht aufgehört mir diese Frage zu stellen: ›*Ist* dies ein derber, aber herzlicher Scherz oder ist es lediglich ein Unfall?‹ So trieb ich an die Oberfläche und sagte mir: ›Es ist nass.‹ Falls du weißt, was ich meine.«

»Und wo war Tieger?«, fragte Kaninchen.

Bevor I-Ah antworten konnte, erklang hinter ihnen ein lauter Lärm und durch die Hecke kam Tieger selbst.

»Hallo, ihr alle«, sagte Tieger vergnügt.

»Hallo, Tieger«, sagte Ruh.

Kaninchen wurde plötzlich sehr gewichtig.

»Tieger«, sagte es feierlich, »was ist gerade eben passiert?«

»Gerade wann?«, fragte Tieger ein bisschen unbehaglich.

»Als du I-Ah voller Ungestüm in den Fluss gestoßen hast.«

»Ich habe ihn nicht voller Ungestüm gestoßen.«

»Du *hast* mich voller Ungestüm gestoßen«, sagte I-Ah schroff.

»Eigentlich aber nicht. Ich musste husten und ich war zufällig gerade hinter I-Ah, und da habe ich ›*Grrr – oppp – ptschschschz*‹ gesagt.«

»Warum?«, fragte Kaninchen, half Ferkel auf die Beine und staubte es ab. »Alles wieder gut, Ferkel.«

»Es hat mich nur etwas unvorbereitet erwischt«, sagte Ferkel.

»Das nenne ich Ungestüm«, sagte I-Ah. »Jemanden unvorbereitet erwischen. Sehr lästige Angewohnheit. Ich hab ja gar nichts dagegen, dass Tieger im Wald ist«, fuhr er fort, »denn der Wald ist groß, und er bietet genug Platz für Ungestüm. Aber ich sehe nicht ein, warum Tieger unbedingt in *meine* kleine Ecke des Waldes kommen und dort ungestüm sein muss. Es ist ja nicht so, als wäre meine kleine Ecke irgendwas

Besonderes. Für jemanden, der kalte, nasse, hässliche Stellen liebt, hat sie natürlich einen ganz eigenen Reiz, aber ansonsten ist sie lediglich eine Ecke, und wenn jemandem nach Ungestüm zu Mute ist...«

»Ich war nicht ungestüm, ich habe gehustet«, sagte Tieger böse.

»Ungestüm oder ungeschnäuzt – auf dem Grunde des Flusses kommt das auf dasselbe heraus.«

»Tja«, sagte Kaninchen, »dazu kann ich nur sagen... Ah, da kommt Christopher Robin, also kann *er* es sagen.«

Christopher Robin kam aus dem Wald und war auf dem Weg zur Brücke, und er fühlte sich besonnt und sorgenfrei, geradeso, als wäre es völlig egal, wie viel zwei mal neunzehn ist, was es ja auch war, an so einem frohen Nachmittag, und er dachte, wenn er sich jetzt auf das untere Geländer der Brücke stellte und sich vorbeugte und beobachtete, wie der Fluss langsam unter ihm dahinglitt, würde er plötzlich alles wis-

sen, was es zu wissen gab, und er würde es Pu erzählen können, der manches noch nicht so genau wusste. Aber als er zur
Brücke kam und dort all die Tiere sah, wusste er, dass es nicht
die Art Nachmittag war, sondern die andere, wenn man etwas *machen* wollte.

»Es ist nämlich so, Christopher Robin«, begann Kaninchen.
»Tieger ...«

»Nein, hab ich nicht«, sagte Tieger.

»Wie dem auch sei, plötzlich lag ich drin«, sagte I-Ah.

»Aber ich glaube nicht, dass er es gewollt hat«, sagte Pu.

»Er *ist* nun mal ungestüm«, sagte Ferkel, »und dafür kann er nichts.«

»Versuch doch mal *mich* ungestüm zu schubsen«, sagte Ruh eifrig. »I-Ah, jetzt versucht Tieger *mich* zu schubsen. Ferkel, meinst du ...«

»Ja, ja«, sagte Kaninchen, »wir wollen doch nicht alle gleichzeitig sprechen. Das, worauf es ankommt, ist, wie Christopher Robin darüber denkt.«

»Ich hab doch nur gehustet«, sagte Tieger.

»Er war ungestüm«, sagte I-Ah.

»Na ja, ich war irgendwie ungehustet«, sagte Tieger.

»Pscht!«, sagte Kaninchen und hielt die Pfote in die Luft. »Wie denkt Christopher Robin über das Ganze? Darauf kommt es an.«

»Nun«, sagte Christopher Robin, der nicht ganz sicher war, worum es überhaupt ging. »*Ich* denke ...«

»Ja?«, sagten alle.

»*Ich* denke, wir sollten alle Pu-Stöcke spielen.«

Das taten sie dann. Und I-Ah, der es noch nie gespielt hatte, gewann zweimal mehr als alle anderen; und Ruh fiel zweimal ins Wasser, das erste Mal aus Versehen und das zweite Mal mit Absicht, weil es plötzlich Känga aus dem Wald kommen sah und wusste, dass es nun sowieso ins Bett musste. Und da sagte Kaninchen, es würde sie noch begleiten; und Tieger und I-Ah gingen zusammen weg, weil I-Ah Tieger sagen wollte,

wie man beim Pu-Stöcke-Spielen gewinnt, man muss seinen Stock nämlich mit einem gewissen Schnackelich ins Wasser fallen lassen, falls du verstehst, was ich meine, Tieger; und Christopher Robin und Pu und Ferkel blieben allein auf der Brücke zurück.

Lange betrachteten sie den Fluss unter sich und sagten nichts und der Fluss sagte auch nichts, denn an diesem Sommernachmittag fühlte er sich sehr ruhig und friedvoll.

»*Eigentlich* ist Tieger nämlich in Ordnung«, sagte Ferkel träge.

»Natürlich ist er das«, sagte Christopher Robin.

»*Eigentlich* ist das jeder«, sagte Pu. »Finde *ich* jedenfalls«, sagte Pu. »Aber ich glaube nicht, dass ich Recht habe«, sagte er.

»Natürlich hast du Recht«, sagte Christopher Robin.

SIEBTES KAPITEL

In welchem Tieger gestüm gemacht wird

Eines Tages saßen Kaninchen und Ferkel vor Pus Haustür und hörten Kaninchen zu und Pu saß dabei. Es war ein schläfriger Sommernachmittag und der Wald war voller freundlicher Geräusche, die alle zu Pu zu sagen schienen: »Hör nicht auf das, was Kaninchen sagt; hör lieber mir zu.« Deshalb setzte er sich so zurecht, dass er Kaninchen ganz bequem nicht zuhören konnte, und von Zeit zu Zeit öffnete er die Augen um »Aha!« zu sagen, und dann schloss er sie wieder um »Sehr wahr« zu sagen, und von Zeit zu Zeit sagte Kaninchen sehr ernsthaft: »Du siehst, worauf ich hinauswill, Ferkel«, und Ferkel nickte ernst um zu zeigen, dass es das ganz deutlich sah.

»Tieger wird nämlich«, sagte Kaninchen, als es endlich zum Schluss kam, »in letzter Zeit so ungestüm, dass wir ihm allmählich eine Lektion erteilen müssen. Meinst du nicht auch, Ferkel?«

Ferkel sagte, Tieger sei wirklich sehr ungestüm, und wenn ihnen etwas einfiele, um ihn etwas gestümer zu machen, so wäre das eine sehr gute Idee.

»Ganz meine Meinung«, sagte Kaninchen. »Was sagst *du* dazu, Pu?«

Pu öffnete seine Augen mit einem Ruck und sagte: »Äußerst.«

»Äußerst was?«, fragte Kaninchen.

»Was du gerade gesagt hast«, sagte Pu. »Zweifellos.«
Ferkel gab Pu einen Stups, der Pu erstarren lassen sollte, und Pu, der zunehmend das Gefühl hatte woanders zu sein, stand langsam auf und begann sich zu suchen.
»Aber wie sollen wir es machen?«, fragte Ferkel. »Was für eine Art Lektion, Kaninchen?«
»Darum geht es nämlich«, sagte Kaninchen.
Das Wort »Lektion« klang für Pu so, als habe er es schon einmal irgendwo gehört.
»Es gibt da etwas, was Eimer Eins heißt«, sagte er. »Christopher Robin hat mal versucht es mir beizubringen, aber es hat nicht.«
»Was hat nicht?«, fragte Kaninchen.
»Hat was nicht?«, fragte Ferkel.
Pu schüttelte den Kopf. »Ich weiß es nicht«, sagte er. »Es hat einfach nicht. Wovon reden wir gerade?«
»Pu«, sagte Ferkel vorwurfsvoll, »hast du denn nicht zugehört, als Kaninchen gesprochen hat?«
»Ich habe zugehört, aber ich hatte etwas Pelz im Ohr. Könntest du es bitte noch mal sagen, Kaninchen?«
Kaninchen fand es nie schlimm, wenn es etwas zweimal sagen musste, und deshalb fragte es, wo es anfangen sollte; und als Pu gesagt hatte, an der Stelle, an der er Pelz ins Ohr gekriegt habe, und als Kaninchen gefragt hatte, wann das gewesen sei, und als Pu gesagt hatte, das wisse er nicht, weil er es nicht richtig gehört habe, erledigte Ferkel die ganze Sache, indem es sagte, was sie zu machen versuchten, sie versuchten nämlich gerade auf etwas zu kommen, damit Tieger nicht mehr so ungestüm wäre, so sehr man ihn auch mochte, es ließ sich nicht leugnen, dass er sehr ungestüm *war*.

266

»Ach, verstehe«, sagte Pu.

»Er besteht aus zu viel Tieger«, sagte Kaninchen, »darauf läuft es hinaus.«

Pu versuchte zu denken, und alles, woran er denken konnte, war etwas, was überhaupt keine Hilfe war. Deshalb summte er es ganz leise vor sich hin.

>Wäre Kaninchen
Größer und nicht klüger
Und fetter
Und stärker
Oder größer und nicht klüger
Als Tieger,
Und Tieger feiner
Und zahm wie ein Hühnchen
Gegenüber Kaninchen
Und netter,
Nicht wie ein Berserker,
Wäre es Wurscht, wär Kaninchen
Größ- oder kleiner.«

»Was hat Pu gesagt?«, fragte Kaninchen. »Was Vernünftiges?«

»Nein«, sagte Pu traurig. »Nichts Vernünftiges.«

»Na ja, ich habe eine Idee«, sagte Kaninchen, »und hier ist sie. Wir nehmen Tieger auf einen langen Entdeckungsausflug mit, irgendwohin, wo er noch nie gewesen ist, und da verlieren wir ihn, und am nächsten Morgen finden wir ihn wieder, und dann – so viel kann ich euch versprechen – wird er rundum ein völlig anderer Tieger sein.«

»Warum?«, fragte Pu.

»Weil er ein demütiger Tieger sein wird. Weil er ein trauriger Tieger sein wird, ein melancholischer Tieger, ein kleiner Tieger, *so* klein mit Hut, und Leid wird es ihm tun, ein Ach-Kaninchen-was-*bin*-ich-froh-dich-zu-sehen-Tieger wird er sein.«

»Wird er auch froh sein mich und Ferkel zu sehen?«

»Natürlich.«

»Das ist gut«, sagte Pu.

»Es würde mir gar nicht gefallen, wenn er *immer* traurig bliebe«, sagte Ferkel voller Zweifel.

»Tieger bleiben nie immer traurig«, erklärte Kaninchen. »Sie kommen erstaunlich schnell darüber hinweg. Ich habe Eule gefragt, nur um sicherzugehen, und sie sagte, gerade darüber kämen Tieger immer hinweg. Aber wenn es uns gelingt, dass

Tieger sich wenigstens fünf Minuten lang klein und traurig fühlt, haben wir eine gute Tat getan.«

»Würde Christopher Robin das auch finden?«, fragte Ferkel.

»Ja«, sagte Kaninchen. »Er würde sagen: ›Du hast eine gute Tat getan, Ferkel. Ich hätte sie selbst getan, wenn ich nicht zufällig etwas anderes getan hätte. Danke, Ferkel.‹ Und Pu, natürlich.«

Darüber war Ferkel sehr froh und es sah sofort ein, dass das, was sie mit Tieger tun würden, etwas Gutes war, und da Pu und Kaninchen es mit ihm, Ferkel, zusammen tun würden, war es etwas, bei dem selbst ein sehr kleines Tier morgens mit einem guten Gefühl aufwachen konnte. Deshalb war die einzige Frage: Wo sollten sie Tieger verlieren?

Und nun konnte Pu wieder sehr froh sein, denn den Nordpohl hatte er zuerst gefunden, und wenn sie dort ankamen, würde Tieger ein Schild sehen, auf dem »Entdeckt von Pu, Pu hat ihn gefunden« stand, und dann würde Tieger wissen, was er vielleicht noch nicht wusste, was für eine Art Bär Pu war. *Diese* Art Bär.

So wurde verabredet, dass sie nächsten Morgen aufbrechen würden und dass Kaninchen, welches in der Nähe von Känga und Ruh und Tieger wohnte, jetzt nach Hause gehen und Tieger fragen sollte, was er morgen vorhabe, denn wenn er nichts vorhatte, wie wäre es dann mit einem kleinen Entdeckungsausflug und sollen Pu und Ferkel auch mitkommen? Und wenn Tieger »Ja« sagte, war alles in Ordnung, und wenn er »Nein« sagte …

»Sagt er nicht«, sagte Kaninchen. »Überlasst das mir.« Und es ging geschäftig davon.

Der nächste Tag war ein ganz anderer Tag. Statt heiß und

sonnig zu sein war er kalt und neblig. Pu selbst machte das nichts aus, aber wenn er an all den Honig dachte, den die Bienen nicht machten, dann taten sie ihm an einem kalten und nebligen Tag immer Leid. Dies sagte er Ferkel, als Ferkel kam um ihn abzuholen, und Ferkel sagte, daran denke es gar nicht so sehr, sondern daran, wie kalt und jämmerlich es wäre, wenn man sich einen ganzen Tag und eine ganze Nacht lang mitten oben im Wald verlaufen hätte. Aber als die beiden zu Kaninchens Haus kamen, sagte Kaninchen, heute sei der ideale Tag für sie, denn Tieger springe in seinem Ungestüm immer vor allen anderen her, und sobald er nicht mehr zu sehen sei, würden sie sich eilig in die entgegengesetzte Richtung verdrücken, und er würde sie nie wieder sehen.

»Aber doch nicht nie?«, sagte Ferkel.

»Na ja, nicht bis wir ihn wieder finden, Ferkel. Morgen oder wann auch immer. Komm. Er wartet schon auf uns.«

Als sie zu Kängas Haus kamen, sahen sie, dass Ruh ebenfalls wartete, weil Ruh ein großer Freund von Tieger war, und das erschwerte die Sache; aber Kaninchen flüsterte Pu hinter vorgehaltener Pfote »Überlass das mir« zu und ging zu Känga. »Ich glaube, es ist besser, wenn Ruh nicht mitkommt«, sagte es. »Nicht heute.«

»Warum nicht?«, fragte Ruh, welches eigentlich gar nicht zuhören sollte.

»Unfreundlicher, kalter Tag«, sagte Kaninchen und schüttelte den Kopf. »Und heute Morgen hast du gehustet.«

»Woher weißt du das?«, fragte Ruh ärgerlich.

»Aber, Ruh, das hast du mir ja gar nicht gesagt«, sagte Känga vorwurfsvoll.

»Es war ein Keks-Huster«, sagte Ruh, »keiner, von dem man was sagt.«

»Heute lieber nicht, Schatz. Ein andermal.«

»Morgen?«, fragte Ruh hoffnungsvoll.

»Wir werden sehen«, sagte Känga.

»Immer wird nur gesehen und nie passiert was«, sagte Ruh traurig.

»An einem Tag wie heute könnte man sowieso nichts sehen, Ruh«, sagte Kaninchen. »Ich glaube auch nicht, dass wir sehr weit kommen werden, und heute Nachmittag sind wir alle wieder ... wir alle wieder ... sind wir ... Ah, Tieger, da bist du ja. Komm mit. Auf Wiedersehen, Ruh! Heute Nachmittag sind wir ... Komm schon, Pu! Sind alle fertig? Wie schön. Also los.«

So brachen sie auf. Zuerst gingen Pu und Kaninchen und Ferkel nebeneinander, und Tieger rannte im Kreis um sie herum, und dann, als der Pfad sich verengte, gingen Kaninchen, Ferkel und Pu hintereinander, und Tieger rannte in Rechtecken um sie herum, und irgendwann, als der Stechginster auf beiden Seiten des Pfades sehr stachlig wurde, rannte er vor ihnen auf und ab, und manchmal stieß er dabei ungestüm mit Kaninchen zusammen und manchmal auch nicht. Und als sie höher kamen, wurde der Nebel dicker, sodass Tieger

immer wieder verschwand, und wenn man dann dachte, er wäre nicht da, war er doch wieder da und sagte: »Nun kommt schon«, und bevor man noch irgendwas sagen konnte, war er wieder nicht da.

Kaninchen drehte sich um und gab Ferkel einen Stups.

»Nächstes Mal«, sagte es. »Sag es Pu.«

»Nächstes Mal«, sagte Ferkel zu Pu.

»Nächstes was?«, sagte Pu zu Ferkel.

Tieger erschien plötzlich, stieß voller Ungestüm mit Kaninchen zusammen und verschwand wieder. »Jetzt!«, sagte Kaninchen. Es sprang in eine Mulde neben dem Pfad und Pu und Ferkel sprangen ihm nach. Sie kauerten sich in den Farn und lauschten. Der Wald war sehr still, wenn man stehen blieb und ihm zuhörte. Sie konnten nichts sehen und nichts hören.

»Pscht!«, sagte Kaninchen.

»Tu ich doch die ganze Zeit«, sagte Pu. Man hörte ein Trappeln – und dann war es wieder still.

272

»Hallo!«, sagte Tieger und er hörte sich plötzlich so nah an, dass Ferkel in die Luft gesprungen wäre, wenn Pu nicht zufällig größtenteils auf ihm gesessen hätte.

»Wo seid ihr?«, rief Tieger.

Kaninchen gab Pu einen Stups, und Pu sah sich nach Ferkel um, damit er ihm einen Stups geben konnte, aber Ferkel atmete weiter so leise wie möglich feuchten Farn ein und fühlte sich sehr tapfer und sehr aufgeregt.

»Das ist aber komisch«, sagte Tieger.

Es war einen Augenblick lang still und dann hörten sie ihn wieder davontrappeln. Sie warteten noch ein bisschen länger, bis der Wald so still geworden war, dass er sie fast erschreckte, und dann stand Kaninchen auf und reckte sich.

»Na?«, flüsterte es stolz. »Geschafft! Genau, wie ich gesagt habe.«

»Ich habe nachgedacht«, sagte Pu, »und ich denke ...«

»Nein«, sagte Kaninchen. »Lass es. Lauf! Kommt mit.« Und sie rannten davon, Kaninchen voran.

»Jetzt«, sagte Kaninchen, nachdem sie ein Stück weggerannt waren, »können wir reden. Was wolltest du sagen, Pu?«
»Nicht viel. Warum gehen wir in diese Richtung?«
»Weil es hier nach Hause geht.«
»Oh!«, sagte Pu.
»Ich *glaube*, es geht mehr nach rechts«, sagte Ferkel nervös.
»Was meinst *du*, Pu?«

Pu sah seine zwei Pfoten an. Er wusste, dass eine davon die rechte war, und er wusste, wenn man entschieden hatte, welche die rechte war, die andere die linke war, aber er konnte sich nie merken, wo er anfangen musste.
»Nun ...«, sagte er langsam.
»Mach schon«, sagte Kaninchen. »Ich weiß, dass es hier entlang geht.«
Sie gingen weiter. Zehn Minuten später blieben sie wieder stehen.
»Das ist ja wirklich zu dumm«, sagte Kaninchen, »aber einen Augenblick lang dachte ich ... Ah, natürlich. Kommt mit.«
»Da sind wir ja«, sagte Kaninchen zehn Minuten später.
»Nein, sind wir nicht.«

274

»Jetzt«, sagte Kaninchen zehn Minuten später, »glaube ich, müssten wir doch eigentlich … Oder sind wir doch ein wenig mehr nach rechts gegangen, als ich angenommen hatte?«
»Wirklich seltsam«, sagte Kaninchen zehn Minuten später, »wie im Nebel alles gleich aussieht. Ist dir das auch schon aufgefallen, Pu?«

Pu sagte, das sei ihm auch schon aufgefallen.
»Ein Glück, dass wir den Wald so gut kennen; sonst würden wir uns noch verlaufen«, sagte Kaninchen eine halbe Stunde später und lachte so sorglos, wie man lacht, wenn man den Wald so gut kennt, dass man sich nicht verlaufen kann.
Ferkel schlich sich von hinten an Pu heran.
»Pu!«, flüsterte es.
»Ja, Ferkel?«
»Nichts«, sagte Ferkel und ergriff Pus Pfote. »Ich wollte nur sicher sein, dass du noch da bist.«
Als Tieger damit fertig war, darauf zu warten, dass die anderen ihn einholten, und als die anderen ihn nicht eingeholt hatten und als er es satt hatte, dass er zu niemandem sagen

konnte: »Los, kommt schon!«, fand er, er könne auch genauso gut nach Hause gehen. So trabte er davon und das Erste, was Känga zu ihm sagte, als sie ihn sah, war: »So ein braver Tieger. Du kommst gerade rechtzeitig um deine Stärkungsmedizin zu nehmen«, und sie goss ihm einen Löffel voll. Ruh sagte stolz: »Meine hab ich schon genommen«, und Tieger schluckte seine herunter und sagte: »Ich auch«, und dann schubsten sich die beiden freundlich durch das Zimmer und Tieger warf aus Versehen einen bis zwei Stühle um, und Ruh warf einen mit Absicht um, und Känga sagte: »Dann lauft mal los.«

»Wo sollen wir hinlaufen?«, fragte Ruh.

»Ihr könnt ein paar Tannenzapfen für mich sammeln«, sagte Känga und gab ihnen einen Korb.

Also gingen sie zu den Sechs Tannen und bewarfen sich mit Tannenzapfen, bis sie vergessen hatten, weshalb sie hergekommen waren, und ließen den Korb unter den Bäumen stehen und gingen zum Abendessen nach Hause. Und als sie mit dem Abendessen fast fertig waren, steckte Christopher Robin den Kopf zur Tür herein.

»Wo ist Pu?«, fragte er.

»Lieber Tieger, wo ist Pu?«, sagte Känga. Tieger erklärte, was geschehen war, während Ruh gleichzeitig die Sache mit seinem Keks-Huster erklärte und Känga ihnen sagte, sie sollten nicht gleichzeitig sprechen, weshalb es etwas dauerte, bis Christopher Robin erraten hatte, dass sich Pu und Ferkel und Kaninchen im Nebel mitten oben im Wald verlaufen hatten.

»Das ist das Merkwürdige an Tiegern«, flüsterte Tieger Ruh zu, »dass sie sich *nie* verlaufen.«

»Warum denn nicht, Tieger?«

276

»Sie verlaufen sich einfach nicht«, erklärte Tieger. »So ist das nun mal.«

»Tja«, sagte Christopher Robin, »dann müssen wir losgehen und sie finden; Schluss, aus. Komm mit, Tieger.«

»Ich muss losgehen und sie finden«, erklärte Tieger Ruh.

»Darf ich sie auch finden?«, fragte Ruh eifrig.

»Ich glaube, heute nicht, mein Schatz«, sagte Känga. »Ein andermal.«

»Wenn sie sich morgen verlaufen, darf ich sie dann finden?«

»Wir werden sehen«, sagte Känga, und Ruh, das wusste, was *das* bedeutete, ging in eine Ecke und übte ganz allein Sprünge, teils, weil es Sprünge üben wollte, und teils, weil es nicht wollte, dass Christopher Robin und Tieger dachten, es mache ihm etwas aus, wenn sie ohne Ruh weggingen.

»Tatsache ist«, sagte Kaninchen, »dass wir irgendwie den Weg verfehlt haben.«

Sie rasteten in einer kleinen Sandkuhle mitten im Wald. Pu war die Sandkuhle allmählich leid, und er hatte sie im Verdacht, dass sie ihnen folgte, denn in welcher Richtung sie auch aufbrachen, sie kamen immer zur Sandkuhle, und immer wenn sie durch den Nebel auf sie zukam, sagte Kaninchen

triumphierend: »Jetzt weiß ich, wo wir sind!«, und Pu sagte traurig: »Ich auch«, und Ferkel sagte nichts. Es hatte versucht sich etwas einfallen zu lassen, was es sagen konnte, aber alles, was ihm einfiel, war »Hilfe! Hilfe!«, und das wäre ziemlich dumm gewesen, wo es doch Pu und Kaninchen hatte.

»Nun«, sagte Kaninchen nach einer langen Stille, in der ihm niemand für den schönen Spaziergang gedankt hatte, »dann gehen wir lieber weiter, würde ich sagen. Welche Richtung schlagen wir ein?«

»Wie wäre es«, sagte Pu langsam, »wenn wir, sobald wir diese Kuhle nicht mehr sehen, versuchen sie wieder zu finden?«

»Wozu soll das gut sein?«, sagte Kaninchen.

»Tja«, sagte Pu, »immer wieder suchen wir den Nachhauseweg und finden ihn nicht, und deshalb habe ich mir gedacht, wenn wir diese Kuhle suchen, finden wir sie ganz bestimmt nicht, und das wäre dann *gut*, weil wir dann vielleicht etwas finden, was wir *nicht* gesucht haben, und das wäre dann vielleicht genau das, was wir in Wirklichkeit *gesucht* haben.«

»Das scheint mir nicht viel Sinn zu haben«, sagte Kaninchen.

»Nein«, sagte Pu traurig, »hat es auch nicht. Es *begann* aber Sinn zu haben, als ich damit anfing. Unterwegs muss ihm etwas zugestoßen sein.«

»Wenn ich von dieser Kuhle wegginge und dann zu ihr zurückkehrte, würde ich sie *natürlich* wieder finden.«

»Ich dachte ja auch nur, dass es dir vielleicht doch nicht gelingt«, sagte Pu. »Ich dachte es ja nur.«

»Versuch es doch«, sagte Ferkel plötzlich. »Wir warten hier auf dich.«

278

Kaninchen lachte kurz auf um zu zeigen, wie töricht Ferkel war, und ging in den Nebel. Nachdem es hundert Meter gegangen war, drehte es sich um und ging wieder zurück … Und nachdem Pu und Ferkel zwanzig Minuten auf Kaninchen gewartet hatten, standen sie auf.

»Ich dachte es ja nur«, sagte Pu. »So, Ferkel, dann wollen wir mal nach Hause gehen.«

»Aber Pu«, schrie Ferkel ganz aufgeregt, »weißt du denn den Weg?«

»Nein«, sagte Pu. »Aber in meinem Schrank stehen zwölf Töpfe Honig und die rufen mich schon seit Stunden. Ich konnte sie vorher nicht richtig hören, weil Kaninchen immer geredet hat, aber wenn niemand sonst etwas sagt, nur die zwölf Töpfe, dann *glaube* ich, Ferkel, werde ich wissen, woher die Rufe kommen. Komm mit.«

Sie gingen zusammen los; und lange Zeit sagte Ferkel nichts um die Töpfe nicht zu unterbrechen; und dann machte es plötzlich ein quiekendes Geräusch – und ein Oha-Geräusch –, denn nun wusste es allmählich, wo es war; aber das wagte es immer noch nicht laut auszusprechen, falls es doch nicht da war. Und gerade als es so goldrichtig Bescheid wusste, dass es nicht mehr wichtig war, ob die Töpfe weiter riefen oder nicht, erklang vor ihnen ein Ruf, und aus dem Nebel kam Christopher Robin.

»Ach, da seid ihr ja«, sagte Christopher Robin lässig und versuchte so zu tun, als habe er sich keine Sorgen gemacht.

»Hier sind wir«, sagte Pu.

»Wo ist Kaninchen?«

»Ich weiß nicht«, sagte Pu.

»Ach … Na, Tieger wird es schon finden. Er sucht euch nämlich gerade alle mehr oder weniger.«

»Tja«, sagte Pu, »ich musste wegen irgendwas nach Hause und Ferkel musste das ebenfalls, weil wir noch nicht dazu gekommen waren, und ...«

»Ich komme mit und sehe dir zu«, sagte Christopher Robin. So ging er mit Pu nach Hause und sah ihm ziemlich lange zu ... Und die ganze Zeit, während er zusah, raste Tieger durch den Wald und schrie laut und kläffend nach Kaninchen. Und schließlich hörte ihn ein sehr kleines und jammervolles Kaninchen. Und das kleine und jammervolle Kaninchen rannte durch den Nebel auf den Lärm zu, und der Lärm verwandelte sich plötzlich in Tieger; einen freundlichen Tieger, einen großartigen Tieger, einen großen und hilfreichen Tieger, der, wenn er überhaupt umhersprang, mit haargenau jener Anmut umhersprang, mit der Tieger umherspringen sollten.

»Ach, Tieger, was *bin* ich froh, dich zu sehen«, schrie Kaninchen.

ACHTES KAPITEL

In welchem Ferkel Etwas Ganz Großes vollbringt

Auf halbem Wege zwischen Pus Haus und Ferkels Haus war eine Nachdenkliche Stelle, an der sie sich manchmal trafen, wenn sie beschlossen hatten einander zu besuchen, und da die Stelle warm und windgeschützt war, setzten sie sich dort ein bisschen hin und fragten sich, was sie unternehmen wollten, *nachdem* sie sich besucht hatten. Eines Tages, als sie beschlossen hatten gar nichts zu tun, erfand Pu eine Strophe über die Stelle, damit jeder wusste, wozu sie da war:

>»Diese Stelle, die so warm und so sinnig ist,
>Gehört Pu.
>Hier frage ich mich, wenn du bei mir bist,
>Was ich tu.
>Sie gehört, fast vergessen, so ein Mist,
>Auch noch Ferkel; und natürlich auch mir;
>und Pu noch dazu.«

An einem Herbstmorgen, als der Wind nachts alle Blätter von den Bäumen geweht hatte und nun versuchte, auch noch Äste herabzuwehen, saßen Pu und Ferkel an der Nachdenklichen Stelle und dachten nach.

»Was *ich* denke«, sagte Pu, »ist, dass ich denke, dass wir zum Puwinkel gehen und I-Ah besuchen sollten, denn vielleicht ist sein Haus umgeweht worden, und vielleicht möchte er, dass wir es wieder aufbauen.«

»Was *ich* denke«, sagte Ferkel, »ist, dass ich denke, dass wir zu Christopher Robin gehen und ihn besuchen sollten, nur dass er leider nicht zu Hause ist, weswegen wir es lassen müssen.«

»Komm, wir gehen los und besuchen *alle*«, sagte Pu. »Denn wenn man meilenweit durch den Wind geht und dann plötzlich bei jemandem hereinkommt und der, den man besucht, sagt: ›Hallo, Pu, du kommst gerade rechtzeitig für einen kleinen Imbiss‹, dann nenne ich das einen angenehmen Tag.«

Ferkel dachte, sie sollten vielleicht einen *Grund* haben, wenn sie alle besuchten, wie die Suche nach Klein oder das Organisieren einer Expotition, falls Pu sich irgendwas einfallen lassen konnte.

Pu konnte.

»Wir werden alle besuchen, weil Donnerstag ist«, sagte er, »und wir werden allen einen Herzlichen Glückwunsch zum Donnerstag wünschen. Komm, Ferkel.«

Sie standen auf; und als Ferkel sich wieder hingesetzt hatte, weil es nicht gewusst hatte, dass der Wind so stark war, und

nachdem Pu ihm wieder auf die Beine gehoffen hatte, gingen sie los. Sie gingen zuerst zu Pus Haus, und glücklicherweise war Pu zu Hause, als sie dort ankamen; und deshalb bat er sie herein, und sie nahmen eine Kleinigkeit zu sich, und dann gingen sie weiter zu Kängas Haus, wobei sie sich aneinander festhielten und »Stimmt's?« riefen und »Wie bitte?« und »Ich kann dich nicht verstehen.« Als sie endlich Kängas Haus erreichten, waren sie so durcheinander gerüttelt, dass sie zum Mittagessen blieben. Danach kam es ihnen draußen zunächst ziemlich kalt vor, und deshalb gingen sie so schnell wie möglich weiter zu Kaninchen.

»Wir sind gekommen um dir einen Herzlichen Glückwunsch zum Donnerstag zu wünschen«, sagte Pu, als er ein- bis zweimal gekommen und wieder gegangen war, um sicherzugehen, dass er auch wieder hinaus*konnte*.

»Warum, was soll denn am Donnerstag passieren?«, fragte Kaninchen, und als Pu es erklärt hatte und als Kaninchen, dessen Leben aus wichtigen Dingen bestand, gesagt hatte: »Ach, ich dachte, ihr hättet einen echten Grund gehabt«, nahmen sie ein wenig Platz ... Und irgendwann gingen Pu und Ferkel weiter. Diesmal hatten sie den Wind im Rücken und brauchten nicht zu schreien.

»Kaninchen ist schlau«, sagte Pu nachdenklich.

»Ja«, sagte Ferkel, »Kaninchen ist schlau.«

»Und es hat Verstand.«

»Ja«, sagte Ferkel. »Kaninchen hat Verstand.«

Es entstand eine lange Stille.

»Ich glaube«, sagte Pu, »deshalb versteht es auch nie was.«

Inzwischen war Christopher Robin zu Hause, denn jetzt war es Nachmittag, und er freute sich so sie zu sehen, dass sie blieben, bis es schon fast Zeit für den Tee war, und dann tranken sie einen schönen Schon-Fast-Tee und aßen Schon-Fast-Kekse dazu (ein Schon-Fast-Tee ist ein Tee, den man gleich wieder vergisst), und dann eilten sie zum Puwinkel um I-Ah zu besuchen, bevor es Zeit für den Ordentlichen Tee bei Eule war.

»Hallo, I-Ah«, riefen sie vergnügt.

»Ah!«, sagte I-Ah. »Habt euch wohl verlaufen?«

»Wir wollten dich besuchen«, sagte Ferkel, »und sehen, wie es deinem Haus geht. Kuck mal, Pu, es steht noch!«

»Ich weiß«, sagte I-Ah. »Äußerst merkwürdig. Es hätte jemand vorbeikommen und es umschmeißen sollen.«

»Wir haben uns nämlich gefragt, ob der Wind es umpusten würde«, sagte Pu.

»Ach, deshalb hat sich niemand die Mühe gemacht, vermute ich. Ich dachte, sie hätten es vielleicht vergessen.«

»Tja, wir freuen uns sehr dich zu sehen, I-Ah, und jetzt gehen wir weiter und besuchen Eule.«

»Nur zu. Eule wird euch gefallen. Sie ist gestern oder vorgestern vorbeigeflogen und hat mich bemerkt. Nicht, dass sie etwas gesagt hätte, weit gefehlt, aber sie wusste, dass ich es war. Sehr freundlich von ihr, dachte ich. Ermutigend.«

Pu und Ferkel scharrten ein bisschen mit den Füßen und sagten so wenig überstürzt wie nur irgend möglich: »Tja, dann auf Wiedersehen, I-Ah«, aber sie hatten noch einen weiten Weg vor sich und mussten allmählich los.

»Lebt wohl«, sagte I-Ah. »Pass auf, dass du nicht davongeweht wirst, kleines Ferkel. Man würde dich vermissen. Die Leute würden sagen: ›Wohin mag wohl das kleine Ferkel geweht worden sein?‹ – und zwar, weil sie es wirklich wissen wollten. Na ja, lebt wohl. Und vielen Dank, dass ihr zufällig an mir vorübergegangen seid.«

»Auf Wiedersehen«, sagten Pu und Ferkel zum letzten Mal und zogen weiter zu Eules Haus.

Jetzt blies der Wind von vorne und Ferkels

Ohren

flatterten hinter ihm her

wie Wimpel,

während Ferkel um jeden Fußbreit Boden kämpfte, und es schien Stunden gedauert zu haben, als es die Ohren endlich in den Schutz des Hundertsechzig-Morgen-Waldes gebracht hatte und sie wieder aufrecht stehen konnten, um, ein wenig nervös, dem Toben des Sturms in den Baumwipfeln zu lauschen.

»Angenommen, ein Baum fällt um, Pu, wenn wir direkt darunter stehen?«

»Angenommen, er fällt nicht um«, sagte Pu nach sorgfältigem Nachdenken.

Dadurch war Ferkel getröstet und bald klopften und klingelten sie wohlgemut an Eules Tür.

»Hallo, Eule«, sagte Pu. »Ich hoffe, wir kommen nicht zu

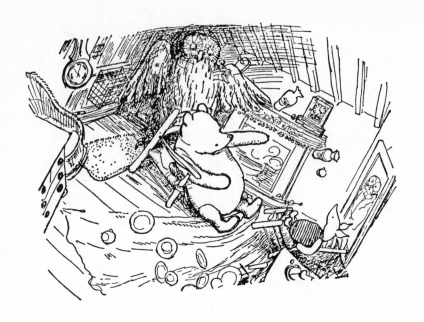

spät zum ... Ich meine: Wie geht's, Eule? Ferkel und ich woll-
ten dich gerade besuchen, weil Donnerstag ist.«
»Setzzz dich, Pu, setzzz dich, Ferkel«, sagte Eule freundlich.
»Macht esss euch bequem.«
Sie dankten ihr und machten es sich so bequem wie möglich.
»Es ist nämlich so, Eule«, sagte Pu, »dass wir uns beeilt ha-
ben, um rechtzeitig zu kommen, damit wir – damit wir dich
noch besuchen können, bevor wir wieder weggehen.«
Eule nickte feierlich.
»Verbessssssert mich, fallsss ich mich täusche«, sagte sie,
»aber gehe ich recht in der Annahme, dassssss draußßßen ein
äußßßerssst stürmischer Tag issst?«
»Äußerst«, sagte Ferkel, welches still seine Ohren auftaute

und sich wünschte wieder in seinem eigenen Haus und in Sicherheit zu sein.

»Dasss habe ich mir gedacht«, sagte Eule. »Esss war an jussst so einem stürmischen Tag, alsss mein Onkel Robert, dessssssen Bildnisss du zzzu deiner Rechten an der Wand siehssst, Ferkel, am späten Vormittag auf dem Rückflug von einer … Wasss isssst dasss?«

Man hörte ein lautes Krachen.

»Aufpassen!«, schrie Pu. »Vorsicht; die Uhr! Mach Platz, Ferkel! Ferkel, ich falle auf dich!«

»Hilfe!«, schrie Ferkel.

Der Teil des Zimmers, in dem Pu saß, neigte sich langsam nach oben, und sein Stuhl begann auf den Stuhl von Ferkel hinunterzurutschen. Die Uhr glitt sachte auf dem Kaminsims entlang und sammelte auf dem Weg Vasen ein, bis sie auf dem Teil der Wohnung zerschellten, der einst der Fußboden gewesen war, der nun aber versuchte herauszufinden, wie er als Wand aussah. Onkel Robert, der als neuer Kaminvorleger dienen sollte und seine übrige Wand als Teppich mitbrachte, traf Ferkels Stuhl, als Ferkel gerade damit rechnete, diesen zu verlassen, und für kurze Zeit wurde es sehr schwer nicht zu vergessen, in welcher Richtung Norden war. Dann ertönte ein weiteres lautes Krachen … Eules Zimmer richtete sich in fieberhafter Eile fertig ein … Und dann war Stille.

In einer Ecke des Zimmers

begann die Tischdecke zu zappeln.

Dann wickelte sie sich zu einer

Kugel zusammen und

rollte

durch das Zimmer.

Dann sprang sie

ein- bis zweimal auf

und ab

und steckte

zwei Ohren

heraus.

Wieder rollte sie durch

das Zimmer und

entwirrte sich.

»Pu«, sagte Ferkel nervös.

»Ja?«, sagte einer der Stühle.

»Wo sind wir?«

»Ich bin nicht ganz sicher«, sagte der Stuhl.

»Sind wir ... Sind wir in Eules Haus?«

»Ich glaube; es sollte nämlich gerade Tee mit Kleinigkeiten geben und bisher haben wir noch nichts gekriegt.«

»Oh!«, sagte Ferkel. »Hatte Eule eigentlich schon *immer* einen Briefkasten an der Zimmerdecke?«

»Hat sie einen?«

»Ja, kuck mal.«

»Kann ich nicht«, sagte Pu. »Ich liege mit dem Gesicht nach unten unter etwas, und das, Ferkel, ist eine sehr schlechte Lage, wenn man an die Zimmerdecke kucken will.«

»Auf jeden Fall *hat* sie einen Briefkasten an der Zimmerdecke, Pu.«

»Vielleicht hat sie das verändert«, sagte Pu, »um eine Veränderung zu haben.«

Es entstand Unruhe hinter dem Tisch in der anderen Ecke des Zimmers, und Eule war wieder bei ihnen.

»Ah, Ferkel«, sagte Eule und sah sehr verdrossen aus, »wo issst Pu?«

»Genau weiß ich es nicht«, sagte Pu.

Als sie seine Stimme hörte, drehte Eule sich um und sah das, was sie von Pu sehen konnte, stirnrunzelnd an.

»Pu«, sagte Eule streng, »hasst *du* dasss ausssgelössst?«

»Nein«, sagte Pu zerknirscht. »Ich *glaube* nicht.«

»Wer war esss dann?«

»Ich glaube, es war der Wind«, sagte Ferkel. »Ich glaube, dein Haus ist umgeweht worden.«

»Ach, dasss issst esss? Ich dachte, esss wäre Pu gewesen.«

»Nein«, sagte Pu.

»Wenn esss der Wind gewesen issst«, sagte Eule und bedachte die Angelegenheit, »kann Pu nichtsss dafür. Man kann ihm die Schuld nicht anlasssten.« Mit diesen freundlichen Worten flog sie hinauf um ihre neue Zimmerdecke zu betrachten.

»Ferkel!«, rief Pu in lautem Flüsterton.

Ferkel beugte sich zu ihm hinunter.

»Ja, Pu?«

»*Was*, hat sie gesagt, lastet auf mir?«

»Sie hat gesagt, du kannst nichts dafür.«

»Oh! Ich dachte, sie hätte gemeint ... Verstehe.«

»Eule«, sagte Ferkel, »komm herunter und hilf Pu.«

Eule, die ihren Briefkasten bewunderte, flog wieder herunter. Zusammen schoben und zogen sie an dem Stuhl herum, und bald kam Pu darunter zum Vorschein und konnte wieder in die Runde blicken.

»Na!«, sagte Eule. »Dasss sind ja schöne Zzzustände!«

»Was sollen wir tun, Pu? Kannst du dir irgendwas einfallen lassen?«, fragte Ferkel.

»Tja, mir *ist* gerade etwas eingefallen«, sagte Pu. »Allerdings nur etwas Kleines.« Und er begann zu singen:

> »Ich lag auf der Brust;
> Der Abend war just
> Gekommen; ich hätte schlafen gemusst.
> Ich lag auf dem Bauch
> Und dichtete auch,
> Und was kam, war nicht gut und verwehte wie Rauch.

Platt gedrückt mein Gesicht,
Und das passte mir nicht;
So was ziemt Akrobaten im Scheinwerferlicht.
Und es putzt auch nicht sehr,
Wenn ein freundlicher Bär
Einen Korbstuhl verpasst kriegt als schimmernde Wehr.
Und der Drck dann und wann,
Wenn es zckt dann und wann,
Ist mehr, als die Nase ertragen kann.
Und so ein Qutschn
Beim Zähnefltschn
Greift Hals, Mund und Ohren und Ähnliches an.

Das war alles«, sagte Pu.

Eule hüstelte irgendwie unbewundernd und sagte, sie alle könnten jetzt vielleicht, wenn Pu sicher sei, dass dies *alles* sei, was ihm eingefallen sei, in ihren Köpfen das Problem bewegen, wie man dieser Gefahr entrinnen könnte.

»Denn«, sagte Eule, »wir können nicht zzzu dem hinaussss, wasss einsssst die Hausssstür war. Esss issst etwasss draufgefallen.«

»Aber wie kann man denn *sonst* hinaus?«, fragte Ferkel besorgt.

»Dasss issst dasss Problem, Ferkel, welchesss in seinem Kopf zzzu bewegen ich Pu freundlichsssst ersuche.«

Pu saß auf dem Fußboden, der einst eine Wand gewesen war, und starrte an die Zimmerdecke, die einst ebenfalls eine Wand gewesen war, eine Wand mit einer Haustür, die einst

eine Haustür gewesen war, und er versuchte dies in seinem Kopf zu bewegen.

»Könntest du mit Ferkel auf dem Rücken zum Briefkasten hinauffliegen?«, fragte er.

»Nein«, sagte Ferkel schnell. »Könnte sie nicht.«

Eule erläuterte die Sache mit der erforderlichen Rückenmuskulatur. Sie hatte das Pu und Christopher Robin schon einmal erklärt und seitdem auf eine Gelegenheit gewartet es wieder zu erklären, denn es ist dies eine Sache, die man ganz leicht zweimal erklären kann, bevor irgendjemand weiß, wovon die Rede ist.

»Denn, weißt du, Eule, wenn wir Ferkel in den Briefkasten

kriegen könnten, könnte es sich durch den Briefschlitz quetschen und den Baum hinunterklettern und Hilfe holen.«

Ferkel sagte eilig, es sei in letzter Zeit größer geworden und könne *beim besten Willen* nicht, so Leid es ihm tue, und Eule sagte, sie habe ihren Briefkasten in letzter Zeit vergrößern lassen, für den Fall, dass sie größere Briefe bekäme, und deshalb könne Ferkel ja *vielleicht*, und Ferkel sagte: »Aber du sagtest doch, die erforderliche Du-weißt-schon-was könnte *nicht*«, und Eule sagte: »Nein, dasss kann sie nicht; dessshalb brauchen wir keinen weiteren Gedanken darauf zzzu verschwenden«, und Ferkel sagte: »Dann sollten wir über etwas anderes nachdenken«, womit es sofort begann.

Aber Pus Gedanken waren zu jenem Tag zurückgeschweift, als er Ferkel vor der Überschwemmung gerettet hatte und ihn alle so bewundert hatten; und da das nicht oft geschah, fand er, es könnte gern mal wieder geschehen. Und ganz plötzlich, genau wie schon einmal, kam ihm eine Idee in den Sinn.

»Eule«, sagte Pu, »mir ist etwas eingefallen.«

»Du bissst ein autarker und hilfreicher Bär«, sagte Eule.

Pu war stolz, weil er ein starker und hilfreicher Bär genannt worden war, und sagte bescheiden, es sei ihm nur so ganz zufällig eingefallen. Man band ein Stück Schnur an Ferkel fest, und man flog zum Briefkasten hinauf, mit dem anderen Ende der Schnur im Schnabel, und man zog die Schnur durch den Draht des Briefkastens und flog damit wieder zum Fußboden zurück, und man selbst und Pu zogen heftig an diesem Ende, und Ferkel hob sich langsam am anderen Ende. Und das war es dann auch schon.

»Und dann issst Ferkel auch schon an seinem Bestimmungsssort«, sagte Eule. »Fallsss die Schnur nicht reißßßt.«

»Und wenn sie doch reißt?«, fragte Ferkel mit echtem Interesse.

»Dann versuchen wir esss mit einer anderen Schnur.«

Dies war nicht sehr tröstlich für Ferkel, denn mit wie vielen Schnüren sie es auch hochzuziehen versuchten – es war immer dasselbe Ferkel, das herunterfiel; aber immerhin, es schien das Einzige, was man tun konnte. So warf es im Geiste einen letzten Blick auf all die frohen Stunden, die es im Wald verbracht hatte *ohne* an einer Schnur zur Zimmerdecke gezogen zu werden, nickte Pu tapfer zu und sagte, es sei ein sehr kack-kack-kack-kluger Papp-Papp-Plan.

»Sie wird nicht reißen«, flüsterte Pu beruhigend, »weil du ein sehr kleines Tier bist, und ich werde unter dir stehen, und wenn du uns alle rettest, wird es Etwas Ganz Großes sein, worüber man später sprechen kann, und vielleicht erfinde ich ein Lied, und die Leute werden sagen: ›Was Ferkel getan hat, war so toll, dass sogar ein Respektvolles Pu-Lied darüber gemacht wurde!‹«

Danach fühlte sich Ferkel viel besser, und als alles fertig war und es langsam zur Zimmerdecke schwebte, war es so stolz, dass es am liebsten »Kuckt mal: *ich!*« gerufen hätte, aber es befürchtete, Pu und Eule würden die Schnur loslassen und sich Ferkel ankucken.

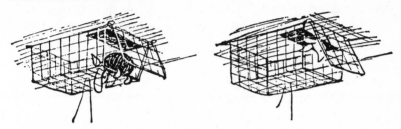

»Und auf geht's!«, sagte Pu munter.
»Der Aufstieg erfolgt voll und ganzzz den Erwartungen entsprechend«, sagte Eule hilfsbereit. Bald war er vorüber. Ferkel öffnete den Briefkasten und kletterte hinein. Dann, nachdem es sich losgebunden hatte, begann es sich durch den Schlitz zu quetschen, durch den damals, in den alten Zeiten,

als Haustüren noch Haustüren waren, so mancher unerwartete Brief, den OILE sich selbst geschrieben hatte, gerutscht war.

Ferkel quetschte sich und qutschte, und dann, mit einem allerletzten Fltschn der Zähne, war es draußen. Froh und aufgeregt drehte es sich um, um den Gefangenen eine letzte Botschaft zuzuquieken.

»Alles klar«, rief es durch den Briefschlitz. »Dein Baum ist umgeweht worden, Eule, und über der Tür liegt ein Ast, aber Christopher Robin und ich können ihn zur Seite schaffen, und für Pu bringen wir ein Seil mit, und ich gehe jetzt los und sage ihm Bescheid, und ich kann ganz leicht runterklettern, ich meine, es ist gefährlich, aber ich schaffe das schon, und Christopher Robin und ich sind dann in etwa einer halben Stunde wieder da. Auf Wiedersehen, Pu!« Und ohne abzuwarten, wie Pu »Auf Wiedersehen und vielen Dank, Ferkel« sagte, machte es sich auf den Weg.

»Eine halbe Stunde«, sagte Eule und machte es sich bequem. »Dasss gibt mir genug Zzzeit dir die Geschichte von meinem Onkel Robert zzzu Ende zzzu erzzzählen, desssssen Bildnisss du zzzu deinen Füßßßen siehsssst. Lassssss mich überlegen, wo war ich stehen geblieben? Jetzzzt weißßß ich esss wieder. Esss war an jussst so einem stürmischen Tag, alsss mein Onkel Robert . . .«

Pu schloss die Augen.

NEUNTES KAPITEL

In welchem I-Ah das Geoile findet und Eule dort einzieht

Pu war in den Hundertsechzig-Morgen-Wald gewandert und stand nun vor dem, was einst Eules Haus gewesen war. Es sah jetzt überhaupt nicht mehr wie ein Haus aus; es sah aus wie ein Baum, der umgeweht worden war; und sobald Häuser so aussehen, wird es Zeit, dass man versucht ein anderes zu finden. Pu hatte an jenem Morgen eine Beunruhigende Bot-

schaft unter seiner Haustür vorgefunden, und die lautete: »ICH SEHE MICH NACH EINEM NEUEN HAUS FÜR EULE UM DAS SOLLTEST DU AUCH KANINCHEN«, und während er sich noch fragte, was sie zu bedeuten hatte, war Kaninchen gekommen und hatte sie ihm vorgelesen.

»Alle andern kriegen auch eine«, sagte Kaninchen, »und dann sage ich ihnen, was drinsteht, und dann sehen sie sich ebenfalls um. Ich bin in Eile, lebe wohl.« Und es war wegge-rannt. Pu folgte langsam. Er hatte Besseres zu tun als ein neues Haus für Eule zu finden; er musste ein Pu-Lied über das alte erfinden. Denn er hatte Ferkel schon vor Tagen und Tagen versprochen eins zu machen, und seitdem hatte Ferkel, immer wenn sie sich trafen, zwar nicht direkt etwas gesagt, aber man wusste sofort, warum; und wenn jemand ein Ge-summ erwähnte oder Bäume oder Schnur oder Stürme-in-der-Nacht, wurde Ferkels Nase vorne herum ganz rosa und es sprach ganz schnell – beinahe überstürzt – von etwas an-derem.

»Aber es ist nicht leicht«, sagte sich Pu, als er das betrachtete, was einst Eules Haus gewesen war. »Denn ein Gedicht und ein Gesumm sind keine Sachen, die man so einfach packen kann, nein, man wird von ihnen gepackt. Und alles, was man dazu tun kann, ist dorthin zu gehen, wo sie einen finden können.«

Er wartete voller Hoffnung ... »Tja«, sagte Pu nach langem Warten, »ich fange einfach mit ›*Hier liegt Eules Baum*‹ an, denn hier liegt er ja, und dann werde ich sehen, was pas-siert.«

Dies passierte:

»Hier liegt Eules Baum.
Sie hat ihn sehr gemocht.
Ein Freund hat an die Tür gepocht;
Ich war's (das wisst ihr sicher kaum),
Und das Entsetzen stand im Raum.

Denn siehe! stürmisch bläst der Wind,
Der Baum, getroffen, fällt;
Schlecht sieht es aus für diese Welt,
Für mich, Mann, Maus und Kind,
Weil wir verloren sind.

Doch dann fällt Ferkel (FERKEL) etwas ein:
›Seid unverzagt! *Ich* bin es
Auch; reicht mir ein Seil, ein dünnes.
Es darf auch etwas dicker sein;
Bin zwar nicht groß, doch auch nicht klein.‹

Zum Briefschlitz ging es dann hinauf
– ›Hurra!‹ in Moll und Dur man rief –
Zum Schlitz, gebaut für einen Brief
(›NUR BRIEFE‹ steht da drauf) –:
Nichts hält jetzt Ferkel auf.

Oh, tapfres Ferkel (FERKEL)! Ho!
Zittert Ferkel? Zagt es gar?
Nein, Zoll für Zoll und wunderbar,
(NUR BRIEFE? Lachhaft!) sowieso
Flutscht Ferkel durch, hallô!

Es läuft und läuft, dann macht es Halt,
Ruft gellend durch die Föhren:
›Der Vogel Eule Hilfe braucht! Und rettet Pu,
den Bären!‹
Die andern eilen durch den Wald
Zur Rettung, und sie kommen bald.

›Hilf-Hilfe! Rettung!‹ Ferkel schreit
Und zeigt den andern, wo
[Singt ho! Ferkel (FERKEL), ho!]

Sie gehen müssen und wie weit;
Die Haustür öffnet sich *soo* breit:
Wir sind gerettet, haben Zeit
Für tiefempfundne Dankbarkeit.

Singt ho! für Ferkel, ho!
Ho!«

»Das ist es also«, sagte Pu, nachdem er es sich dreimal vor-
gesungen hatte. »Es ist anders gekommen, als ich dachte,
aber es ist gekommen. Jetzt muss ich weg und es Ferkel vorsingen.«

ICH SEHE MICH NACH EINEM NEUEN HAUS FÜR
EULE UM DAS SOLLTEST DU AUCH KANINCHEN.

»Was soll dieser Kram?«, fragte I-Ah.
Kaninchen erklärte es.
»Und was ist mit ihrem alten Haus los?«
Kaninchen erklärte es.
»Mir sagt ja niemand was«, sagte I-Ah. »Niemand hält mich

auf dem Laufenden. Nächsten Freitag ist es siebzehn Tage her, dass jemand mit mir gesprochen hat.«

»Das sind nie und nimmer siebzehn Tage, dass ...«

»Nächsten Freitag«, sagte I-Ah.

»Und heute ist Sonnabend«, sagte Kaninchen. »Das wären dann insgesamt elf Tage. Und ich selbst war vor einer Woche hier.«

»Aber nicht gesprächsweise«, sagte I-Ah. »Nicht erst-der-eine-und-dann-der-andere. Du hast ›Hallo‹ gesagt und bist vorbeigehuscht. Dein Schwanz war bereits in hundert Metern Entfernung auf dem Hügel zu sehen, als ich noch über meine Erwiderung nachgrübelte. Ich *hatte* daran gedacht, ›Was?‹ zu sagen, aber da war es natürlich schon zu spät.«

»Na ja, ich hatte es eilig.«

»Kein Geben und Nehmen«, fuhr I-Ah fort. »Kein Gedankenaustausch. ›Hallo – Was‹ –: Ich meine, so was bringt einen doch nicht weiter, besonders wenn der Schwanz des Gesprächspartners sich während der zweiten Hälfte der Konversation nur noch knapp in Sichtweite befindet.«

»Es ist deine Schuld, I-Ah. Du hast dir noch nie die Mühe gemacht einen von uns zu besuchen. Du bleibst hier einfach in deiner Ecke des Waldes und erwartest, dass die andern *dich* besuchen kommen. Warum gehst du nicht manchmal zu *ihnen?*«

I-Ah schwieg und dachte nach.

»Vielleicht hast du gar nicht mal so Unrecht, Kaninchen«, sagte er schließlich. »Ich habe euch vernachlässigt. Ich muss umtriebiger werden. Ich muss kommen und gehen.«

»Stimmt, I-Ah. Schau doch mal bei uns rein; egal, bei wem, wenn dir danach ist.«

»Danke, Kaninchen. Und wenn egal wer mit lauter Stimme ›So ein Mist, es ist I-Ah‹ sagt, kann ich ja wieder rausschauen.«

Kaninchen stand einen Augenblick lang auf einem Bein.

»Tja«, sagte es, »ich muss weiter. Ich habe heute Morgen ziemlich viel zu tun.«

»Lebe wohl«, sagte I-Ah.

»Was? Ach so, lebe wohl. Und falls du zufällig auf ein gutes Haus für Eule stößt, musst du uns Bescheid sagen.«

»Ich werde es mir durch den Kopf gehen lassen«, sagte I-Ah.

Kaninchen ging.

Pu hatte Ferkel gefunden und sie gingen zusammen zurück in den Hundertsechzig-Morgen-Wald.

»Ferkel«, sagte Pu ein wenig schüchtern, nachdem sie einige Zeit wortlos gegangen waren.

»Ja, Pu?«

»Weißt du noch, wie ich sagte, dass vielleicht dereinst ein Respektvolles Pu-Lied über du-weißt-schon-was geschrieben würde?«

»Hast du das gesagt, Pu?«, sagte Ferkel, welches ein wenig rosa um die Nase wurde. »Ach ja, ich glaube, du hast so was gesagt.«

»Es ist geschrieben, Ferkel.«

Das Rosa wanderte langsam von Ferkels Nase zu den Ohren und ließ sich dort nieder.

»Ach, wirklich, Pu?«, fragte es heiser. »Über … Über … Über damals, als? … Du meinst, richtig geschrieben?«

»Ja, Ferkel.«

Plötzlich glühten die Spitzen von Ferkels Ohren, und es versuchte etwas zu sagen; aber selbst nachdem es sich ein- oder zweimal geräuspert hatte, kam nichts. Deshalb fuhr Pu fort: »Es hat sieben Strophen.«

»Sieben?«, sagte Ferkel so unbekümmert wie möglich. »Sieben Strophen hat ein Gesumm doch aber eher selten, oder?«

»Nie«, sagte Pu. »Ich glaube nicht, dass man *je* davon gehört hätte.«

»Wissen es die andern schon?«, fragte Ferkel und blieb kurz stehen um einen Stock aufzuheben und wegzuwerfen.

»Nein«, sagte Pu. »Und ich habe mich gefragt, wie du es lieber hast: dass ich es jetzt summe oder dass ich warte, bis wir die andern finden, damit ich es dann euch allen vorsummen kann?«

Ferkel dachte nach.

»Ich glaube, am liebsten hätte ich es, Pu, ich hätte es gern, wenn du es mir *jetzt* vorsummtest ... und ... *dann* uns allen. Weil es dann jeder hören würde, aber ich könnte sagen: ›Ach ja, Pu hat mir davon erzählt‹, und so tun, als hörte ich gar nicht zu.«

Deshalb summte Pu es ihm vor, alle sieben Strophen, und Ferkel sagte nichts, es stand nur da und glühte. Denn noch nie zuvor hatte jemand von sich aus ho! für Ferkel (FERKEL), ho! gesungen. Als es vorbei war, hätte es gern eine der Strophen noch einmal gehört, aber ungern darum gebeten. Es war die Strophe, die mit »Oh, tapfres Ferkel« anfing, und dieser Anfang schien ihm für ein Stück Dichtkunst sehr treffend gewählt.

»Habe ich das wirklich alles getan?«, fragte es schließlich.

»Nun«, sagte Pu, »in der Dichtung – in einem Stück Dichtkunst – *hast* du es getan, Ferkel, denn die Dichtung sagt, dass

du es getan hast. Und dadurch erfahren es dann die Leute.«
»Oh!«, sagte Ferkel. »Weil ich nämlich ... Ich dachte nämlich, ich hätte doch ein bisschen gezagt. Nur ganz zu Anfang.
Und es heißt doch: ›Zittert Ferkel? Zagt es gar? Nein, Zoll
für Zoll und wunderbar.‹ Deshalb.«
»Du hast nur innerlich gezagt«, sagte Pu, »und für ein sehr
kleines Tier ist das die tapferste Art nicht zu zagen, die es
gibt.«
Ferkel seufzte vor Glück und begann über sich nachzudenken. Es war TAPFER ... Als sie zu Eules Haus kamen, trafen
sie dort alle außer I-Ah an. Christopher Robin sagte ihnen,
was sie tun sollten, und Kaninchen sagte es ihnen gleich danach noch einmal, falls sie es nicht gehört hatten, und dann
taten sie es. Sie hatten sich ein Seil besorgt und zogen Eules
Stühle und Bilder und Sachen aus ihrem alten Haus heraus,
damit alles bereit war, wenn es in ihr neues Haus geschafft
werden sollte. Känga stand unten und band die Sachen ans
Seil und rief Eule zu: »Aber dieses schmutzige alte Geschirrtuch brauchst du doch wohl nicht mehr und was ist mit diesem Teppich, der ist ja voller Löcher«, und Eule rief entrüstet
zurück: »Allerdingsss brauche ich den noch! Man musssssss
nur die Möbel richtig anordnen, und außßßerdem issst dasss
kein Geschirrtuch, sondern mein Schal.« Hin und wieder fiel
Ruh in das Haus und kam mit dem nächsten Teil am Strick
zurück, was Känga ein bisschen nervös machte, weil sie nie
wusste, wo sie es suchen sollte. Deshalb verkrachte sie sich
mit Eule und sagte, ihr Haus sei eine Schande, völlig feucht
und verdreckt, und es sei höchste Zeit gewesen, dass es ein-
gestürzt sei.
»Sieh dir doch allein schon mal diesen grässlichen Haufen

Giftpilze an, der dort in der Ecke wuchert!« Also sah Eule zu
Boden, ein wenig verwundert, weil sie nichts davon gewusst
hatte, und stieß dann ein kurzes sarkastisches Lachen aus und
erklärte, dies sei ihr Schwamm, und wenn die Leute einen
vollkommen normalen Badeschwamm nicht mehr als solchen erkannten, dann habe man es ja herrlich weit gebracht.
»Also *wirklich!*«, sagte Känga, während Ruh schnell ins

Haus fiel und schrie: »Ich *muss* Eules Schwamm sehen! Ah, da ist er ja! Oha, Eule! Eule, das ist ja gar kein Schwamm, das ist ein Schwumm! Weißt du, was ein Schwumm ist, Eule? Das ist ein Schwamm, bei dem einem schwummerig wird, wenn man ihn ...« Und Känga sagte: »Ruh, Liebling!«, und zwar ganz schnell, denn so spricht man *nicht* mit jemandem, der DIENSTAG buchstabieren kann.

Aber als Pu und Ferkel kamen, waren sie alle ganz froh, und sie hörten auf zu arbeiten um ein wenig zu rasten und Pus neuem Lied zu lauschen. Danach sagten sie alle zu Pu, wie gut es war, und Ferkel sagte leichthin: »Es *ist* doch gut, oder? Ich meine, so als *Lied*.«

»Und was ist mit dem neuen Haus?«, fragte Pu. »Hast du es schon gefunden, Eule?«

»Einen Namen dafür hat sie gefunden«, sagte Christopher Robin, der träge an einem Grashalm kaute, »und jetzt braucht sie nur noch das Haus.«

»Ich werde esss folgendermaßßßen nennen«, sagte Eule gewichtig und zeigte ihnen, was sie angefertigt hatte. Es war ein Brett und der Name des Hauses war draufgemalt:

DAS GEOILE

In diesem aufregenden Augenblick kam etwas durch die Bäume und stieß mit Eule zusammen. Das Brett fiel zu Boden und Ruh und Ferkel beugten sich eifrig darüber.

»Ach, du bissst esss«, sagte Eule unwirsch.

»Hallo, I-Ah«, sagte Kaninchen. »Da bist du ja! Wo hast *du* denn gesteckt?«

I-Ah nahm keine Notiz von ihnen.

»Guten Morgen, Christopher Robin«, sagte er, fegte Ruh und Ferkel beiseite und setzte sich auf DAS GEOILE. »Sind wir allein?«

»Ja«, sagte Christopher Robin und lächelte in sich hinein.

»Man sagte mir – die Nachricht hat sich einen Weg bis in meine Ecke des Waldes gebahnt – die feuchte Stelle rechts, die sonst niemand will –, dass eine gewisse Person ein Haus sucht. Ich habe eins für sie gefunden.«

»Aha, gut gemacht«, sagte Kaninchen freundlich.

I-Ah sah sich langsam nach Kaninchen um und wandte sich dann wieder an Christopher Robin.

»Etwas hat sich zu uns gesellt«, sagte er in lautem Flüsterton. »Nicht weiter schlimm. Wir brauchen es ja nicht mit uns herumzuschleppen. Wenn du jetzt bitte mitkommst, Christopher Robin, werde ich dir das Haus zeigen.«

Christopher Robin sprang auf.

»Komm mit, Pu!«, sagte er.

»Komm mit, Tieger«, schrie Ruh.

»Gehen wir, Eule?«, sagte Kaninchen.

»Nur einen winzzzigen Moment noch«, sagte Eule und hob ihr Schild auf, welches gerade wieder sichtbar geworden war. I-Ah bedeutete ihnen mit einer wedelnden Hufbewegung, sie sollten bleiben, wo sie waren.

»Christopher Robin und ich wollten zu einem kurzen Spaziergang aufbrechen«, sagte er, »nicht zu einem kurzen Gedrängel. Wenn er Pu und Ferkel mitnehmen möchte, habe ich nichts dagegen, dass sie uns Gesellschaft leisten, aber man muss doch atmen können.«

»Alles klar«, sagte Kaninchen und war ganz froh, dass es nun das Kommando über etwas hatte. »Wir werden weiter die

Sachen aufräumen. Also, Tieger, wo ist das Seil? Was ist denn los, Eule?« Eule, die gerade entdeckt hatte, dass ihre neue Adresse nunmehr DAS GESCHMIER lautete, hüstelte I-Ah ernst an, sagte aber nichts, und I-Ah, DAS GEOILE zum größten Teil und in Spiegelschrift hinten drauf, marschierte mit seinen Freunden davon.

So kamen sie bald zu dem Haus, das I-Ah gefunden hatte, und kurz bevor sie ankamen, gab Ferkel Pu einen kleinen Stups, und Pu gab Ferkel einen kleinen Stups, und sie sagten: »Das ist es doch!«, und »Das kann doch nicht wahr sein!« und »Das ist es aber *doch!*« zueinander.

Und als sie ankamen, war es das tatsächlich.

»Da!«, sagte I-Ah stolz und blieb mit ihnen vor Ferkels Haus stehen. »Und ein Name steht auch schon dran und alles!«

»Ach!«, schrie Christopher Robin und wusste nicht, ob er lachen sollte oder wie oder was.

»Genau das richtige Haus für Eule. Findest du nicht auch, kleines Ferkel?«

Und dann tat Ferkel Etwas Ganz Edles, und es tat dies in einer Art Traum, während es an all die wunderbaren Worte dachte, die Pu über es gesummt hatte.

»Ja, es ist genau das richtige Haus für Eule«, sagte es großartig. »Und ich hoffe, sie wird darin sehr glücklich sein.« Und dann schluckte es zweimal, denn es war selbst darin sehr glücklich gewesen.

»Was meinst *du*, Christopher Robin?«, fragte I-Ah ein wenig besorgt, da er das Gefühl hatte, dass irgendetwas nicht stimmte. Christopher Robin musste zuerst eine Frage stellen und er wusste nicht recht, wie er sie stellen sollte.

»Nun«, sagte er schließlich, »es ist ein sehr hübsches Haus, und wenn einem das eigene Haus umgeweht wird, muss man ja irgendwohin ziehen, stimmt's, Ferkel? Was würdest *du* tun, wenn *dein* Haus umgeweht worden wäre?«

Bevor Ferkel nachdenken konnte, antwortete Pu an seiner Stelle.

»Ferkel würde zu mir ziehen«, sagte Pu, »oder nicht, Ferkel?«

Ferkel quetschte Pu die Pfote.

»Danke, Pu«, sagte es. »Sogar sehr gern.«

ZEHNTES KAPITEL

In welchem Christopher Robin und Pu an einen verzauberten Ort kommen. Und dort verlassen wir sie

Christopher Robin ging fort. Niemand wusste, warum er fortging; niemand wusste, wohin er ging; es wusste tatsächlich niemand auch nur, warum er wusste, dass Christopher Robin fortging. Aber irgendwie hatte jeder im Wald das Gefühl, dass es nun schließlich und endlich doch passierte. Sogar Der-kleinste-von-Allen, ein Bekannter-und-Verwandter von Kaninchen, der glaubte, er habe einst Christopher Robins Fuß gesehen, aber nicht darauf wetten mochte, weil es vielleicht etwas anderes gewesen war, sogar D.-K.-von-A. sagte sich, dass jetzt alles anders werden würde; und Früh und Spät, zwei weitere Bekannte-und-Verwandte, sagten: »Nun, Spät?« und: »Nun, Früh?« zueinander, und das sagten sie so ohne jede Hoffnung, dass es wirklich nicht viel Sinn zu haben schien die Antwort abzuwarten.

Eines Tages, als es spürte, dass es sich nicht länger aufschieben ließ, textete Kaninchen eine Notiz, und dies stand in der Notiz:

»Notiz ein Treffen von allen Wird sich beim Haus am Puwinkel treffen um eine Rissolution zu verhabschieden Tagesbefehl Linke Spur Halten Gezeichnet Kaninchen.«

Kaninchen musste das zwei- bis dreimal hinschreiben, bevor es die Rissolution so hinkriegte, wie sie hätte aussehen sollen,

313

als es mit Hinschreiben begonnen hatte; aber als die Notiz schließlich fertig war, nahm es sie überallhin mit und las sie allen vor. Und alle sagten, sie würden kommen.

»Na«, sagte I-Ah an jenem Nachmittag, als er sie alle zu seinem Haus kommen sah, »*das* ist aber eine Überraschung. Bin *ich* auch eingeladen?«

»Kümmre dich gar nicht um I-Ah«, flüsterte Kaninchen Pu zu. »Ich habe ihm heute Morgen alles haarklein berichtet.«

Alle sagten Tag-wie-geht's zu I-Ah und I-Ah sagte nein, jedenfalls nicht nennenswert, und dann setzten sie sich; und sobald alle saßen, stand Kaninchen wieder auf.

»Wir wissen alle, warum wir hier sind«, sagte es, »aber ich habe meinen Freund I-Ah gebeten ...«

»Das bin ich«, sagte I-Ah. »Toll.«

»Ich habe ihn gebeten eine Rissolution einzubringen.« Und es setzte sich wieder hin. »Also bitte, I-Ah«, sagte es.

»Dränge mich nicht«, sagte I-Ah und erhob sich langsam. »Und also-bitte mich nicht ständig.« Er holte ein Blatt Papier hinter seinem Ohr hervor und entfaltete es. »Hiervon weiß niemand etwas«, fuhr er fort. »Es ist eine Überraschung.« Er hustete gewichtig und begann noch einmal: »Liebe Sowiesos und Undsoweiters, bevor ich anfange, oder vielleicht sollte ich sagen: Bevor ich aufhöre, möchte ich euch ein Stück Dichtkunst vorlesen: Bis dato ... Bis dato ... Das Wort bedeutet ... Ihr werdet gleich merken, was es bedeutet ... Bis dato, wie ich bereits sagte, wurde die gesamte Dichtung in diesem Walde von Pu geschrieben, einem Bären von angenehmem Wesen, aber zugleich einem einwandfrei bestürzenden Mangel an Verstand. Das Gedicht, welches euch vorzulegen ich im Begriff stehe, wurde von I-Ah geschrieben, oder,

in anderen Worten, von mir, und zwar in einem ruhigen Augenblick. Wenn jemand vielleicht Ruh das Pfefferminzbonbon wegnehmen und Eule wecken möchte, werden wir alle es genießen können. Ich nenne es … GEDICHT.«
Dies war es:

>>Christopher Robin wird uns verlassen.
Jedenfalls glaube ich das.
Er geht. Und zwar wohin?
Wir können es nicht fassen.
Aber er verlässt uns –
Ich meine, er wird uns verlassen
(Was sich auf » Wir können es nicht fassen« reimen soll).
Betrübt uns das den Sinn?
(Was sich auf »wohin?«, reimen soll.)

Allerdings,
Sogar sehr.
(Ich habe noch keinen Reim auf das
»das« in der zweiten Zeile.
So ein Mist.)
(Jetzt habe ich keinen Reim auf
›so ein Mist‹. So ein Mist.)
Missst.
Es ist nämlich gar nicht
Leicht;
Vielleicht –
(Wirklich sehr gut!)
Vielleicht
Sollte ich noch mal anfangen,
Aber es ist leichter
Aufzuhören.
Christopher Robin, bitterlich –
Ich
(Gut)
Ich
Und all deine Freunde
Wünschen dich
Ich meine, wir
Lieben dir.
(Wirklich zu dumm, es geht
immer wieder schief.)
Na, wie auch immer, wir
Reichen dir
In Liebe unsere Hände.
ENDE.

»Falls jemand klatschen möchte«, sagte I-Ah, als er dies verlesen hatte, »dann ist jetzt die Zeit dafür.«
Alle klatschten.
»Danke«, sagte I-Ah. »Unerwartet und erfreulich, wenn auch ohne jeden störenden Überschwang.«
»Es ist viel besser als meine Gedichte«, sagte Pu, dem es wirklich besser gefiel.
»Nun«, sagte I-Ah bescheiden, »das sollte es auch sein.«
»Die Rissolution«, sagte Kaninchen, »lautet, dass wir es alle unterschreiben und Christopher Robin bringen.«

Also unterschrieben
PU, OILE, FRKL, IA, KANINCHEN,
KÄNGA,
      KLECKS
     und
        SCHMUTZ,

und dann gingen sie alle damit zu Christopher Robins Haus.
»Hallo, alle«, sagte Christopher Robin, »hallo, Pu.«
Alle sagten »Hallo«, und plötzlich fühlten sie sich unbehaglich und unfroh, denn es war eine Art Abschied, den sie da aussprachen, und sie wollten nicht darüber nachdenken. So standen sie herum und warteten, dass jemand anderer etwas sagte, und sie stupsten einander an und sagten: »Mach schon«, und nach und nach wurde I-Ah nach vorn gestupst, und die anderen drängten sich hinter ihm.
»Was gibt es denn, I-Ah?«, fragte Christopher Robin.
I-Ah wischte mit dem Schwanz hin und her, um sich Mut zu machen, und begann.

TIEGER

RUH

FRKL

IA

OILE

KÄNGA

KANINCHEN

PU

»Christopher Robin«, sagte er, »wir sind hier erschienen ...
Wir wollten dir sagen – dir geben – es heißt – geschrieben
von – aber wir haben alle – weil wir hörten, ich meine, wir
wissen, alle – na ja, weißt du, es ist – wir – du – nun, um es
so kurz wie möglich auszudrücken, ist es.« Er drehte sich
ärgerlich nach den anderen um und sagte: »Jeder drängelt in
diesem Wald. Man hat keinen Platz. Ich habe mein Lebtag
noch keine so ausdehnungswütige Bande von Tieren gesehen, und alle sind sie am falschen Ort. Könnt ihr denn nicht
sehen, dass Christopher Robin allein sein möchte? Ich gehe.«
Und er entfernte sich mit schweren Schritten.
Ohne recht zu wissen warum, begannen die anderen sich
davonzustehlen, und als Christopher Robin GEDICHT aus-
gelesen hatte und aufsah um »Ich danke euch« zu sagen, war
nur noch Pu da.
»Es ist beruhigend so etwas zu haben«, sagte Christopher
Robin, faltete das Papier zusammen und steckte es in die
Hosentasche. »Komm mit, Pu«, und er ging schnell weg.
»Wohin gehen wir?«, fragte Pu und rannte ihm nach und
fragte sich, ob dies ein Erkundungs- oder ein Was-soll-ich-
bloß-wegen-du-weißt-schon-was-unternehmen-Gang war.
»Nirgendwohin«, sagte Christopher Robin.
Also begannen sie dorthin zu gehen, und nachdem sie ein
kleines Stück Wegs gegangen waren, sagte Christopher Robin: »Was tust du am liebsten von der ganzen Welt, Pu?«
»Tja«, sagte Pu, »was ich am liebsten tue ...« Und dann
musste er innehalten und nachdenken. Denn obwohl Honig-
essen etwas sehr Gutes *war*, was man tun konnte, gab es
doch einen Augenblick, kurz bevor man anfing den Honig
zu essen, der noch besser war als das Essen, aber er wusste

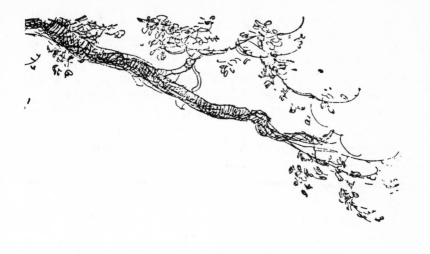

nicht, wie der hieß. Und dann, fand er, war Mit-Christopher-Robin-zusammen-Sein auch etwas sehr Schönes, was man tun konnte, und Ferkel-in-der-Nähe-Haben war auch etwas sehr Angenehmes, was man gut haben konnte; deshalb sagte er, nachdem er alles durchdacht hatte: »Am liebsten von der ganzen Welt mag ich, wenn ich und Ferkel dich besuchen gehen und du sagst: ›Wie wär's mit einem kleinen Imbiss?‹, und ich sage: ›Gegen einen kleinen Imbiss ist eigentlich nichts einzuwenden, oder was meinst du, Ferkel?‹, und draußen ist ein Tag, in dem irgendwie Gesumm drin ist, und die Vögel singen.«

»Das mag ich auch«, sagte Christopher Robin, »aber was ich am liebsten tue, ist *gar nichts.*«

»Wie tut man gar nichts?«, fragte Pu, nachdem er lange gegrübelt hatte.

»Das ist, wenn man es gerade tun will und die Leute wollen von einem wissen: ›Und was willst du *jetzt* tun, Christopher Robin?‹ Und dann sagt man: ›Och, gar nichts‹, und dann tut man's einfach.«

»Aha, verstehe«, sagte Pu.

»Dies ist auch so eine Art Garnichts, was wir jetzt tun.«

»Aha, verstehe«, sagte Pu wieder.

»Es bedeutet, dass man einfach so vor sich hin geht, sich alle Sachen anhört, die man nicht hören kann, und sich nicht weiter darum kümmert.«

»Aha!«, sagte Pu.

Sie gingen weiter, dachten an Dies und Das und kamen irgendwann an einen verzauberten Ort ganz, ganz oben in der Mitte des Waldes, und der Ort heißt Gideons Nadelöhr, und er besteht aus etwas mehr als sechzig Bäumen, die in einem

großen Kreis gewachsen sind; und Christopher Robin wusste, dass der Ort verzaubert war, weil es bisher niemandem gelungen war zu zählen, ob es dreiundsechzig oder vierundsechzig Bäume waren, nicht einmal, wenn man ein Stückchen Schnur um jeden Baum band, nachdem man ihn gezählt hatte. Weil der Ort verzaubert war, war er unten herum nicht wie der Waldboden – Stechginster, Adlerfarn und spitzes Heidekraut –, sondern hier stand dichtes Gras, still und sanft und grün. Hier war die einzige Stelle im Wald, an der man sich unbekümmert hinsetzen konnte ohne fast sofort wieder aufstehen und sich nach etwas anderem umsehen zu müssen. Dort saßen sie, und sie konnten die ganze Welt sehen, wie sie sich ausbreitete, bis sie den Himmel erreichte, und alles, was es auf der ganzen Welt gab, war auch bei ihnen in Gideons Nadelöhr.

Plötzlich begann Christopher Robin, Pu von ein paar Sachen zu berichten: Leute, die Könige und Königinnen hießen, und etwas, das Faktoren hieß, und ein Ort namens Europa, und eine Insel mitten im Meer, die man nicht mit dem Schiff erreichen konnte, und wie man eine Saugpumpe herstellte (wenn man wollte), und wann Ritter zum Ritter geschlagen wurden, und was aus Brasilien kommt. Und Pu hatte den Rücken gegen einen der etwas mehr als sechzig Bäume gelehnt und die Pfoten auf dem Bauch gefaltet und sagte: »Oh!« und: »Nein, weiß ich nicht; erzähl!« Und er dachte, wie wunderbar es wäre, einen richtigen Verstand zu haben, der einem Sachen sagen konnte. Und irgendwann war Christopher Robin mit den Sachen fertig und wurde wieder still und saß nur noch da und überblickte die Welt und wünschte sich, dass es blieb, wie es war.

Aber Pu dachte auch, und er sagte ganz plötzlich zu Christopher Robin:

»Ist es eigentlich toll, ein Retter zu sein?«

»Ein was?«, sagte Christopher Robin träge und hörte etwas anderem zu.

»Auf einem Pferd?«, erläuterte Pu.

»Ein Ritter?«

»Genau«, sagte Pu. »Ist das so toll wie ein König und wie Faktoren und die ganzen anderen Sachen, die du erzählt hast?«

»Na ja, so toll wie ein König ist es nicht«, sagte Christopher Robin, und dann, als Pu enttäuscht aussah, fügte er schnell hinzu: »Aber es ist toller als Faktoren.«

»Könnte ein Bär einer sein?«

»Natürlich könnte er das!«, sagte Christopher Robin. »Ich werde dich dazu schlagen.« Und er nahm einen Stock und berührte Pu an der Schulter und sagte: »Erhebt Euch, Herr Pou de Bær, getreuester aller meiner Ritter.«

So erhob sich Pu und setzte sich und sagte: »Danke schön«, was genau das Richtige ist, was man sagt, wenn man zum Ritter geschlagen wurde, und dann versank er wieder in einem Traum, in dem er und Herr Pump und Herr Brasilien und mehrere Faktoren mit einem Pferd zusammenlebten und getreue Ritter waren (bis auf die Faktoren, die sich um das Pferd kümmern mussten) und dem Guten König Christopher Robin dienten ... Und hin und wieder schüttelte er den Kopf und sagte sich: »Ich bringe alles durcheinander.« Dann begann er an all die Sachen zu denken, die Christopher Robin ihm würde erzählen wollen, wenn er von dort, wohin er ging, egal, was es war, zurückkam, und wie verwirrend es für den Bären von sehr wenig Verstand sein würde dies alles in seinem Kopf zu ordnen. »Also vielleicht«, sagte er traurig vor sich hin, »erzählt Christopher Robin mir dann gar nichts mehr«, und er fragte sich, ob es, wenn man ein Getreuer Ritter war, bedeutete, dass man einfach weiter getreu war ohne Sachen erzählt zu bekommen.

Christopher Robin hatte immer noch das Kinn in die Hände gestützt und betrachtete die Welt; dann rief er plötzlich: »Pu!«

»Ja?«, sagte Pu.

»Wenn ich ... Wenn ich ... Pu!«

»Ja, Christopher Robin?«

»Ich werde nicht mehr gar nichts tun.«

»Nie wieder?«

»Kein bisschen. Sie lassen einen nicht.«

Pu wartete, dass er weiter sprach, aber er war wieder verstummt.

»Ja, Christopher Robin?«, sagte er hilfsbereit.

»Pu, wenn ich – *du* weißt ja Bescheid –, wenn ich *nicht* gar nichts tue, wirst du dann manchmal hierher kommen?«

»Nur ich?«

»Ja, Pu.«

»Wirst du dann auch da sein?«

»Ja, Pu, ich werde da sein, bestimmt. Ich *verspreche* es dir, Pu.«

»Dann ist es ja gut«, sagte Pu.

»Pu, *versprich* mir, dass du mich nie vergisst. Nicht mal, wenn ich hundert bin.«

»Wie alt bin *ich* dann?«

»Neunundneunzig.«

Pu nickte.

»Versprochen«, sagte er.

Christopher Robin hatte die Augen immer noch auf die alte Welt gerichtet und griff nach Pus Pfote.

»Pu«, sagte Christopher Robin ernst, »wenn ich – wenn ich nicht ganz …«, er hörte auf und fing noch mal an: »Pu, *egal*, was passiert, du *verstehst* es doch, oder?«

»Was verstehe ich?«

»Och, gar nichts.« Er lachte und sprang auf. »Komm mit!«

»Wohin?«, sagte Pu.

»Egal wohin«, sagte Christopher Robin.

Und sie gingen zusammen fort. Aber wohin sie auch gehen und was ihnen auf dem Weg dorthin auch passieren mag: An jenem verzauberten Ort ganz in der Mitte des Waldes wird ein kleiner Junge sein, und sein Bär wird bei ihm sein, und die beiden werden spielen.